God Jul 2004
Önskar Han

D0261131

SÄTTA GRÄNSER FÖR

barn

ARNE SKODVIN

SÄTTA GRÄNSER FÖR

ÖVERSÄTTNING ERIK NISSER

FORUM

Bokförlaget Forum, Box 70321, 107 23 Stockholm
www.forum.se

Originalets titel Å sette grenser for barn. En oppmuntrende veiledning
Copyright © J. W. Cappelens Forlag AS 2002
Teckningar Herbjørn Skogstad
Svensk textning Katrin Age
Omslagsbild Andy Clark/REUTERS/Scanpix
Omslagsdesign Jan Cervin JCD
Satt hos Ytterlids, Falkenberg
Tryckt 2004 hos ScandBook, Falun
på 100 g trä-fritt
ISBN 91-37-12302-5

Innehåll

Förord till den svenska upplagan

Om vi är så lyckligt lottade att vi antingen själva har barn eller får arbeta med barn, varför ska vi då behöva sätta gränser för dem? Mer än något annat önskar vi ju att våra barn ska få utvecklas till impulsiva och spontana människor! Men ändå behöver vi inte fundera särskilt länge för att inse att även barn måste kunna tygla sin spontanitet och sin impulsivitet ibland. Varje människa måste lära sig att ta hänsyn till andra. Det går inte att bara leva ut alla sina känslor, vi måste också utveckla vår förmåga till medkänsla med andra och ansvarskänsla för varandra. Genetiskt sett ligger det i barnets anlag att växa upp och bli människa. Men för att bli en socialt fungerande medmänniska måste barnet dessutom lära sig något om samhällets syn och förväntningar på mänsklig samlevnad. Vi människor är sammansatta varelser, en komplex legering av natur och kultur, där både biologiska och sociala faktorer spelar in. Därför ska gränssättningen också ske för barnens bästa. Gränssättningen ska hjälpa barnen att bli bra människor som det är lätt att ha att göra med.

Historiskt sett har gränser förmedlats till barnen på mycket olika sätt. Bara för några få generationer sedan var det allmänt vedertaget att vuxna hade rätt att uppträda auktoritärt och att barn först och främst skulle lära sig att lyda. Som en reaktion på denna förtryckande attityd slog pendeln över i motsatt riktning. Demokratiskt sinnade föräldrar talade sig varma för barnens medbestämmanderätt och frihet. Och nu reagerar man på att dagens självutplånande "curlingföräldrar" banar vägen för självsvåldiga och respektlösa barn. Denna bok har något att säga båda lägren. Den ger inte något facit till gränssättningens problem, utan den vill lära föräldrar och andra vuxna att ställa sig vissa grundläggande frågor: Vilka ramar vill vi ge barnen, hur ska vi göra dessa ramar tydliga och hur kommer vi själva att reagera på barnens sätt att förhålla sig till dessa ramar? Att ställa sig dessa frågor kan hjälpa oss vuxna att finna våra egna svar. Därmed ska vi också förhoppningsvis kunna nå fram till en mer autentisk och genomtänkt praxis, så att gränssättningen blir – en övning i medmänsklighet!

Maj 2004
Arne Skodvin

Förord

Flera gånger har jag blivit inbjuden till föräldramöten på daghem och i lågstadieskolor för att tala om gränssättning. Det har visat sig vara ett både aktuellt och populärt ämne bland såväl föräldrar som personal. Oftast har jag inlett föredragen med några mer allmänt hållna reflexioner kring vad det innebär att sätta gränser för barn, och dessa tankegångar har sedan följts av diskussioner med utgångspunkt i vissa bestämda situationer som föräldrarna önskat få belysta. På så vis har vi gemensamt kunnat fördjupa, nyansera och tillämpa teoretiska idéer på praktiska problem.

En del föräldrar har också frågat om det finns någon lättillgänglig litteratur på området. Mig veterligt finns det ingen enkel, lättfattlig sammanfattning av ämnet på något nordiskt språk. Frågan dryftas i diverse mindre fackartiklar och i enstaka avsnitt av mer allmänna böcker i pedagogik. På ett av de här föräldramötena deltog en gång en förälder med koppling till förlagsbranschen, och då kläcktes idén att jag i bokform borde belysa några av de teoretiska begrepp jag talat om, utifrån de praktiska erfarenheter som föräldrarna bidragit med.

Man kan belysa gränssättningen ur ett flertal teoretiska perspektiv, men denna bok är inte tänkt som en fackbok. Även om många av de synpunkter jag presenterar har stöd i forskningen, har jag blivit ombedd att inte belasta framställningen med litteraturhänvisningar och fotnoter.

Synen på gränssättning hänger nära samman med vår egen människosyn och allmänkulturella utblick. De exempel jag valt säger därför en hel del om mina egna, personliga uppfattningar och värderingar, och dessa kanske inte alltid delas av läsaren. Å andra sidan vilar all form av gränssättning på just värderingar, och därför är det viktigt att föräldrar tvingas fundera över vilka värden de i grund och botten omhuldar.

Att sätta gränser för barn är något som berör flera sidor av vardagslivet och många gånger kan det vara både mödosamt och krävande. Det är kanske därför det har visat sig vara lättare att diskutera problemen med humorn som grund. Diskussionerna blir gärna mer fruktbara när man kan tillåta sig att le åt sina egna brister.

Att sätta gränser handlar om att inta en viss hållning till barnuppfostran. Men hur vi markerar våra gränser har också betydelse för hur barnen kommer att se på sig själva, och i förlängningen leder detta till olika typer av inlärning hos barnen. Därför börjar den här boken med en presentation av ett antal olika sätt att se på barns handlingar eller uppförande (kap. 1), på deras självbild (kap. 2) och på inlärningen hos barn (kap. 3). Dessa kapitel bygger på enkla och väl beprövade teorier. En grundläggande fråga är hur vi kan sörja för att barnet bibringas den bästa möjliga bilden av sig självt, som en människa som kan fungera tillsammans med andra människor (kap. 4). Den frågan belyses sedan i ett antal konkreta situationer i hemmet (kap. 5) och utanför hemmet (kap. 6).

Låt mig avslutningsvis betona att den här boken inte

handlar om hur föräldrar ska bete sig mot barn i största allmänhet. Den berör endast det specifika temat gränssättning och gäller barn upp till ungefär tioårsåldern.

Boken är upplagd på ett sådant sätt att du som mamma eller pappa ska kunna känna igen dig själv och samtidigt bli mer medveten om varför och hur du sätter gränser för dina barn. Men den ger inget facit till hur gränserna ska sättas. Till syvende och sist är gränssättning ett område fullt av motsägelser. Du får själv pröva dig fram och försöka hitta gränser som du kan stå för och som passar just dig och dina barn. Det är min önskan att du ska kunna ha ett gott förhållande till dina barn, även när du sätter upp gränser för dem!

Arne Skodvin

1 Varför sätta gränser?

Är det nödvändigt att sätta gränser för barn och deras handlingar? Vore det inte bättre om de själva fick pröva sig fram som individer till sitt eget sätt att vara, utan ingrepp från föräldrarnas sida? Kan det inte rentav vara skadligt för barnen att vi vuxna prackar på dem vår egen vilja och begränsar dem? Jo, visst kan våra ingrepp i barnens uppfostran vara mindre lyckosamma, men det är precis lika självklart att vi allt som oftast måste gripa in. Både att ingripa och att vara passiv kan vara olyckligt för barnen. Frågorna ovan kan vi därför omformulera så här: I vilka avseenden mår barnen bäst av att vi sätter gränser för dem? Och hur ska vi se till att det leder till just det bästa möjliga för dem? Innan vi går in på dessa frågor, är det lämpligt att vi säger något om aktiviteten hos barn i största allmänhet.

Allt som lever är på ett eller annat sätt aktivt i förhållande till sin omgivning. Utan aktivitet – inget liv! Och som alla föräldrar väl vet, är deras egna barn de kanske finaste exemplar av liv som någonsin uppkommit. Då skulle det bara fattas att de inte var aktiva!

Barn tycks vara utrustade med en obändig, inre drift att vara överskridande. Ständigt och jämt testar och prövar de sig fram, med nya föremål eller nya beteenden, och det dröjer inte länge förrän de till och med börjar pröva

15

sig själva i förhållande till oss, vi som ska uppfostra dem! Barn tillägnar sig ständigt nya egenskaper under sin uppväxt. Och de är tvungna att testa sig fram, falla pladask och pröva på nytt för att lära sig behärska sina gåvor. Därför ligger det helt enkelt i sakens natur att barn, stadda som de är i snabb utveckling, titt som tätt ställer till en del problem för oss vuxna. Plötsligt vill barnet göra något som det inte helt behärskar, eller som vi skulle önska att det gjorde annorlunda. De allra flesta föräldrar har alltså av och till mycket goda skäl för att utbrista:

Åh, vad besvärligt det är att vara förälder!
Nu börjar allt ungen bli bra jobbig!

Den här boken handlar om helt vanliga problem med helt vanliga barn. Den normala utvecklingen hos barn innebär med nödvändighet vissa kritiska faser i förhållandet mellan barn och förälder. De här faserna kan vara känsliga för barnen, därför att de som bäst håller på att tillägna sig en egenskap som de ännu inte behärskar. Men faserna är också kännbara för oss vuxna, för vi är inte heller så säkra på hur vi ska bemöta den nya egenskapen.

Hon var så go' och rar till för bara ett halvår se'n, men vet du vad hon har börjat göra nu ...

Alla föräldrar har rätt att misströsta om sig själva eller barnen någon gång då och då! Men trots all frustration får vi inte glömma att det samtidigt är väldigt sunt att barnen beter sig så här. Det är ett tecken på tåga, utveckling och framsteg när barnen vållar oss problem! Det vore mer oroväckande om en mamma och pappa i stället med en axelryckning sade:

Vaddå, vår lille pojke? Nej, han har inte förändrats ett dugg. Han gör i stort sett samma saker som för två år sedan.

Det borde få larmklockan att ringa, för det vore en långt allvarligare signal än att föräldrarna beklagar sig över att det är krävande att uppfostra barn.

Gränssättning – ett nödvändigt ont?

Men samtidigt som ditt barn utvecklas, kan du inte nöja dig med att bara passivt se på när nya beteenden dyker upp. Om ettåringen försöker sig på källartrappan, kan du naturligtvis inte slå dig till ro med att detta är ett tecken på "tåga, utveckling och framsteg". Barn kan hitta på saker som inte alls är bra för dem. Och då ska vi självfallet vara på plats och sätta gränser för dem.

När barn nått tvåårsåldern kan de gruffas, bitas och slå varandra i huvudet med föremål. Det krävs inget djupare motiv för detta än det gjorde för vikingen som högg huvudet av sin granne, därför att "han stod så lägligt till" ...

I femårsåldern är den sociala kompetensen så avancerad att beteenderepertoaren till och med kan omfatta intriger. Barnen börjar så smått att överväga vem som ska få vara med och vem som ska bli utanför. Och i skolåldern kan barn utsättas för mobbning av sina klasskamrater. Sådana beteenden går ut över andra barn på ett sätt så att vi vuxna får lov att ingripa.

17

Så snart man för ämnet gränssättning på tal, kommer föräldrar i regel snabbt dragande med flera olika problem. Oftast handlar gränssättning om mindre önskvärda beteenden hos barnen. Somliga pedagoger har velat definiera gränssättning som ett sätt att hindra barn från att skada sig själva eller andra. En sådan definition innebär att gränssättning enbart handlar om att förebygga olyckor. Åtskilliga föräldrar upplever det också som negativt eller obehagligt att behöva sätta gränser. En mamma uttryckte det så här:

Han är så liten ännu, kraken, så vi får nog vänta med att sätta gränser tills han blir större.

Här framstår gränssättningen som en belastning och en påkänning som barnet borde förskonas ifrån. Ett annat föräldrapar tillade:

Nej, vi är så lite tillsammans med barnen, så då vill vi ha kvalitetstid! Därför försöker vi undvika att sätta gränser under de stunderna.

Andra ogillar själva ordet. Man har velat ersätta "gränssättning" med "bromsning" – det vill säga att barnen själva ska lära sig att slå på bromsen – men förslaget har inte vunnit något vidare gehör. Ordet "gräns" väcker lätt associationer till det rent militära. En gräns är något som löper mellan två territorier, något som noga övervakas och patrulleras. Om gränsen överträds, smäller det. Och visst, i många hem utövas tvivelsutan ganska mycket gränssättning med smällar!

18

Att det uppstår konflikter mellan barn och vuxna är inget nytt. Däremot har synen på barnens aktivitet, och på de vuxnas hållning till denna, genomgått flera förvandlingar under historiens lopp. Våra egna föräldrars far- och morföräldrar växte upp i en tid då man menade att barn först och främst skulle lära sig lyda. Det var få som då bestred föräldrarnas självskrivna rätt att ställa krav på barnens uppförande. Gränssättning var oproblematiskt och genomdrevs med hårda nypor. Bland våra far- och morföräldrar var det däremot många som hade hört talas om "fri uppfostran". Barnspecialister varnade för faran av att alltför många gränser skulle göra de små barnen till neurotiker som vuxna. Detta var en reaktion mot de auktoritära uppfostringsmetoder som tidigare använts i såväl hem som skola. Men pendeln svängde väl långt ut i motsatt riktning, och de föräldrar som i all välmening avstod från att sätta gränser upptäckte så småningom att detta kunde resultera i nog så charmlösa beteenden hos barnen.

Som moderna föräldrar av idag vill vi inte gärna uppträda auktoritärt. Det är inte särskilt vanligt att vuxna idag motiverar sin gränssättning med att de just i kraft av sitt föräldraskap har rätt att bestämma över sina barn, och att det är barnens plikt att lyda. Inte desto mindre tycks de flesta vara införstådda med att vi ibland tvingas gripa in och sätta gränser för våra barn, vare sig vi vill det eller ej. Somliga föräldrar uppfattar gränssättandet som en nödlösning, som något de helst inte vill befatta sig med, men som de tyvärr nödgas till någon gång då och då.

19

De vuxnas gränser respektive barnens

Vilken rätt har då vi vuxna att göra våra egna gränser till barnens? Har inte barnen också gränser som vi vuxna inte får överträda? Det finns det många synpunkter på. Vår syn på hur gränser ska sättas är nära sammanflätad med vår människosyn och med våra värderingar. Men vi känner oss sällan tvungna att uttrycka någon särskild livssyn för att ha en mening om hur man sätter gränser. Inte desto mindre baserar sig vårt sätt att sätta gränser på vissa uppfattningar om vad det är att vara människa och om vad som krävs för att över huvud taget bli en människa. Historien igenom har också skillnader i människosyn lett till skilda synsätt på uppfostran.

Mot slutet av 1700-talet hävdade till exempel den franske filosofen Jean Jacques Rousseau att människan föds naturligt god, men att denna medfödda godhet fördärvas under trycket av kultur och civilisation. Rousseau hyste ett så stort förtroende för människans inre natur att han i princip såg uppfostran som ett slags utvecklingsprocess. En snarlik uppfattning omhuldades av romantikens konstnärer, som sökte sig tillbaka till det naturliga och ursprungliga. Man såg barnet som en bärare av fröet till sin egen utveckling. Barnet antogs frambringa sig självt, och uppfostrarens roll var att lägga omständigheterna tillrätta så att de naturgivna egenskaperna kunde få utvecklas. Än idag hävdar vissa pedagoger att barn i möjligaste mån ska få upptäcka sina egna gränser med så lite styrning av andra som möjligt. Detta synsätt ligger nära romantikens människosyn och har i ett annat sammanhang formulerats en smula tillspetsat som så:

Låt barnen komma till sig själva!

Andra tänkare har sett annorlunda på mötet mellan natur och kultur. Psykoanalysens fader, österrikaren Sigmund Freud, lanserade på 1900-talet idén att vi "vantrivs i kulturen". Under uppväxten måste barnet finna en medelväg när medfödda dispositioner och kulturbestämda normer inte harmonierar med varandra. Barnets lustprincip måste balanseras mot en realitetsprincip. All uppfostran innebär således en vansklig balansgång. Å ena sidan önskar vi naturligtvis att barnet ska få utveckla sin spontanitet. Å andra sidan är det uppenbart att barnet ibland måste lära sig att tygla sina impulser. Vad ska vi uppmuntra? Vad ska tonas ner? Det är vår uppgift som föräldrar att lära barnet att det inte alltid kan göra som det vill, utan hänsyn till andra. Barnet måste få klart för sig att det i samhället finns gränser för hur mycket den enskilde kan breda ut sig. För att kunna leva tillsammans måste vi alla foga oss efter vissa gemensamma förväntningar. Men de här normerna bär barnet ingalunda med sig från födseln, utan de måste läras in under uppväxten. Vardagligt uttryckt skulle det kunna beskrivas så här:

De kan ju inte bara tuta och köra som de själva vill!

Andra hävdar att även individuella egenskaper uppstår i eller ur sociala sammanhang. Barnen lär sig att göra saker tillsammans med andra, och först därefter kan de utföra dessa saker på egen hand utan andras hjälp. Vi matar barnen tills de kan äta själva. Barnen får hjälp med att klä på sig och klä av sig tills de klarar det själva. Till och med

språket utvecklas först i samspel med andra. Med tiden kan sedan barnen använda språket som ett verktyg för sitt eget tänkande i de andras frånvaro. Den vitryske psykologen och lingvisten Lev S. Vygotskij hävdar att en hel rad mänskliga egenskaper är kulturellt bestämda. De uppstår alltså först på en social arena i samspel med andra, varpå de kan hämtas hem till den privata arenan såsom egenskaper hos det enskilda barnet. Denna uppfattning kan man med viss förenkling åskådliggöra som på teckningen ovan.

I detta avseende betraktas människan som ett biologiskt väsen inplacerat i en kulturell kontext. Att växa upp som människa är att sammanföra dessa två skilda sidor av tillvaron. Av vår biologi är vi disponerade till spontanitet, medan kulturen förväntar sig att vi kan tygla denna spontanitet. Sett ur det perspektivet kan det tyckas egendomligt att barnens och de vuxnas gränser skulle stå i motsättning till varandra: Barn måste lära sig av andras gränser för att kunna sätta sina egna.

Låt oss dra en parallell till andra arter, som man kanske inte osökt skulle komma på tanken att jämföra människan med. Många djur hävdar sig själva på andras bekostnad. En klassisk studie visar till exempel att hönor kan utveckla rena hack-hierarkier. Vissa hönor står lägst i rangordningen och blir hackade av alla de andra hönorna. I mellanskiktet samsas hönor som både hackar och blir hackade. Överst tronar de som hackar på alla de andra, men som ingen annan vågar gå på. Utan jämförelser i övrigt har en likartad rangordning kunnat iakttas hos människor:

Far skäller på mor, mor skäller på min bror, min bror skäller på mig – men jag kan ta katten!

De som arbetar med slädhundar vet att hundarna ibland gör upp sinsemellan i våldsamma urladdningar, allt i syfte att etablera en rangordning.

Även vår egen älskade avkomma kan visa tendenser till att vilja dominera över andra. Tvååringen som nyligen välsignats med en lillebror eller lillasyster, kan vara lika glad i sitt nya syskon som gökungen som skuffar ut sina svagare "syskon" ur nästet. Lekkamrater terroriserar varandra och klasskamrater kan mobba varandra genom hela skolan.

Till skillnad från djuren har vi människor emellertid utvecklat en civilisation, där varje enskild individ har rätt att bemötas med respekt. Det betyder att vi alla har vissa rättigheter och skyldigheter. Ingen samhällsmedlem kan göra enbart vad som faller henne in. Utifrån sitt biologiska arv växer barnet upp till en vuxen människa. Men för att bli en *medmänniska* måste barnet också ta till sig det kulturella arvet. Och kulturen ligger inte nerbäddad i barnets gener, utan den kan endast förmedlas av andra människor. Alla barn kan under uppväxtens gång lägga sig till med olämpliga former av beteenden. Men det betyder inte att vi har skäl att kalla dem omoraliska! Tvärtom är det just i sådana situationer som vi vuxna har en möjlighet att gripa in och lära barnet något om hur vi människor bör bete oss mot varandra.

Rötterna till barnets självkontroll ligger således i de vuxnas kontroll. Om barnet kontrolleras alltför mycket, kan hans eller hennes självkontroll bli övermåttan hämmande. Och om vi vuxna är alltför eftergivna, kan barnets bristande självkontroll leda till bristande hänsyn mot andra. Gränssättning kan alltså ske på både sunda och osunda vis. Men barnet kan aldrig hitta sina egna gränser utan de vuxnas inflytande.

Gränssättning – en övning i medmänsklighet

"Gränssättning" har närmast blivit till ett stående uttryck. Men vi har inte alltid klart för oss hur det definieras, liksom vi inte heller har funderat närmare över vilken sorts gränser vi önskar sätta eller över hur vi själva kommer att reagera på barnets reaktioner på dessa gränser.

Låt oss därför dröja en stund vid själva ordet "gräns". I talspråket har detta ord en rad olika betydelser. Det kan syfta på en *skiljelinje*, som när vi talar om gränsen mellan två områden. Det kan beteckna en *yttersta punkt*, som när vi talar om en fartgräns, till exempel. I sådana sammanhang är en gräns något entydigt och klart definierat. Men ordet används också i uttryck som "inom rimlighetens gränser" eller "på gränsen till det passande". Och även i situationer där det saknas både exakta kartor och precisa mätinstrument, kan vi likväl utbrista:

Här går gränsen!

Här rör det sig inte längre om någon tydligt utmärkt landsgräns, utan snarare om ett oklart gränsland. Innebörden varierar med situationen eller med vem det är som använder uttrycket. I en given situation svävar vi som regel inte i tvivelsmål över vad som menas med det som sägs. Sättet att använda ordet skänker uttrycket dess innehåll. Men själva ordets betydelse är flytande.

Därför är det heller inte helt lätt att ge en allmän definition av ordet "gränssättning" med stöd i ordet "gräns". Ett begrepp blir inte mer entydigt av att förklaras utifrån ett annat, lika mångtydigt begrepp. Man kan fråga sig om det över huvud taget går att använda ordet på det mänskliga beteendets område med samma precision som på områden som, säg, geografi (landsgräns) eller fysik (gränsvärde). När kan vi med bestämdhet hävda att det går en helt skarp gräns mellan bra och dåligt, rätt och fel? När har vi rätt att säga att barnet nått en yttersta punkt för vad som kan tolereras? Är det över huvud taget möjligt att på förhand rita en gränskarta för hur barnets liv ska gestalta sig? Barnet är ju inte bara vårt projekt – det är också sitt eget! Men under sin uppväxt kommer barnet att utveckla viktiga förutsättningar för samvaron inom familjen.

Inom vissa institutioner används *gränssättning* i en mycket speciell bemärkelse, till exempel för en del av terapin inom psykiatrisk sjukvård eller för fysiska tvångsåtgärder i fall av patienter med total realitetsförlust. Det vore grovt missvisande, och dessutom orättvist, att säga att det rör sig om samma sorts "gränssättning" inom psykiatrin som inom familjelivet. I den här boken ska vi diskutera sådana tillämpningar av ordet "gränssättning" som faller inom ramen för den verklighet och de krav som föräldrar möter när de ska handskas med helt vanliga barn.

I den här boken förstår vi således gränssättning som en tendens att *rama in vissa former av aktiviteter hos barnet*. Man kan se "ram" som ett smidigare ord än "gräns". Syftet med en ram är att både avgränsa och framhäva något som befinner sig innanför ramen. Men det är inte så att vi först definierar en ram och därefter prövar att fylla den med ett innehåll. I regel är det alldeles tvärtom: Vi väljer en ram som kan tänkas passa till en redan befintlig bild. Så kan vi göra med både bilder som provocerar oss och med bilder som vi gillar. På motsvarande sätt kan vi tänka oss att vi först lägger märke till ett visst beteende hos barnet – ett innehåll – innan vi bestämmer oss för vilka ramar vi ska ge det. På så vis blir det tydligt för barnet att dess beteende i våra ögon inte är så önskvärt.

Har vi börjat med att rama in något som ligger på "fel" sida av en gräns, kan vi sedan snickra ihop en annan ram som framhäver något på den "rätta" sidan gränsen. Men det räcker inte med att bara definiera ramar. Gränssättning innebär också att *hjälpa barnen att förhålla sig till ramarna.* Vi kan inte utan vidare räkna med att en gräns blir åtlydd bara för att den förklarats. Vi måste bistå barnen i konkreta situationer och synlig- eller tydliggöra för dem vad det innebär att agera inom en viss ram.

Vi är inte färdiga med gränssättningen om vi måste peka på samma gränser om och om igen. Poängen är att *barnen ska införliva ramarna och göra dem till sina egna.* Först när barnen klarar av att hålla sig till en gräns, utan att vi behöver påminna dem om den, har vi lyckats.

Barnen ska också *lära sig* något av vår gränssättning. Den vuxne tvingas ständigt ändra sin egen roll utifrån vad barnet lärt sig behärska på egen hand. Till en början kanske den vuxne måste göra det mesta åt barnet. Sedan kan den vuxne och barnet samarbeta i sådana saker som barnet ännu inte klarar själv. Men efterhand bör den vuxne tona ner sin medverkan, så att barnet kan träda fram som den som styr sitt eget beteende. En pedagog är paradoxalt nog en som arbetar mot målet att göra sig själv överflödig! Så är det också i gränssättandet. Man kan se det så här:

Eftersom jag har ansvar för dig
kommer jag att dela ansvaret med dig
så att du en gång kan ta ansvar för dig själv!

I vidaste mening kan vi därför se gränssättning som en övning i medmänsklighet. Barn som möter rimliga och tydliga gränser lär sig att förutse vad de kan förvänta sig

27

av sin omgivning. Denna förutsägbarhet skänker också en känsla av trygghet.

För att kort sammanfatta vad vi sagt: Barn utvecklar hela tiden sin aktivitet. Vare sig vi gillar ordet gränssättning eller ej, blir vi förr eller senare tvungna att inta en hållning till barnets uppförande, på gott och ont. Är beteendet bra, är det i regel inget problem att rama in det och visa barnen en bild som vi gillar. Även när barn uppför sig på ett sätt som inte berör oss, är det viktigt att rama in det. Ty en gräns har alltid två sidor och det ger oss två möjligheter och två ramar. Gränssättning behöver alltså inte alltid vara ett nödvändigt ont, som genomdrivs med negativa åtgärder när barnet har gjort något fel, för vi kan också markera gränser på positiva sätt när barnen gjort något bra! I nästföljande kapitel ska vi titta närmare på hur vi kan bibringa barnen en god bild av sig själva som positiva medmänniskor, och på hur vi kan understödja detta med positiva åtgärder.

2 Det handlar om självkänslan

Parallellt med att barnen utvecklas och hittar på nya aktiviteter tar också deras självuppfattning form. Självbilden påverkas också av att de klarar av att göra vissa saker, liksom av att de ibland misslyckas. Hur barnen bemöts av människorna i sin omgivning har stor betydelse. I föregående kapitel såg vi hur vuxna kan påverka barnens uppförande genom att rama in olika sidor av det. I det här kapitlet ska vi vända blicken mot en annan effekt av gränssättningen. När vi ingriper i barnens beteende, får det nämligen konsekvenser för deras självbild, och det bör vi hålla i minnet när vi sätter gränser för våra barn.

I facklitteraturen behandlas detta tema under olika benämningar och med skilda nyanseringar. Man talar om *jaget, självkänsla, självförtroende* och *identitet*. Det sistnämnda ordet är för övrigt besläktat med latinets *idem*, med betydelsen *densamme*. Har du någonsin undrat över hur det kommer sig, när du vaknar på morgonen, att du vet att det just är *du* som har vaknat?

Vi har alla en stark och tydlig uppfattning om att *jag är jag*. Och detta trots att vi under livets lopp genomgår stora förändringar. Vi förstår och lär oss ständigt mer, vi får nya kläder, ny frisyr, ändrat utseende, kanske ny partner, men ändå: Det är fortfarande samma gamla jag! Den här bilden av oss själva uppfattar vi mestadels som något övervägande privat. Vi talar inte om vår självbild med vem som helst. Tvärtom, berättar vi för någon om hur vi innerst inne ser på oss själva, får det gärna ett drag av förtrolighet och intimitet. Men samtidigt är självbilden också ett socialt fenomen. Vi har inte skapat vår självuppfattning helt på egen hand. Tänk dig en pojke som för det mesta får höra:

Hej! Trevligt att se dig!
Du, det där var verkligen bra gjort!
Så bra att du kom!

Om detta upprepas många gånger om, kommer han snart att känna att:

Därmed kan han också bestämma sig för att vara "bra". Men han har alltså inte åstadkommit detta helt själv. Ingen kan egentligen ställa sig upp och förklara för alla andra:

Jag är en bra person – och det får ni hålla till godo med.
Begrips!?

Det fungerar inget vidare. Personligheten kommer delvis till uttryck genom ens uppförande. Men det är först när folk i omgivningen reagerar på vad man gör, som man själv kan bli klar över hur beteendet uppfattas. Omgivningen fungerar som ett slags social spegel för oss människor. Det är genom återspeglingen från personerna i min omgivning som jag kommer underfund med vem jag är.

Vi tänker oss nu en annan person, som inte varit lika tursam med omgivningens återspegling. Hon har mestadels fått hora:

Nä, nu får du sluta tjata!
Du, hur många gånger har jag inte sagt åt dig att inte tjata!
Åååh, tjat, tjat och åter tjat!
Du är allt en riktig tjatmoster!

En ung människa kan bli så van vid detta att hon med tiden närmast uppfattar det som omvärldens normala sätt att omtala henne. "Tjataren" har blivit en del av hennes självbild (och hon fortsätter då naturligtvis att tjata).

Alla personer i den omgivande miljön väger inte lika tungt i denna återspeglande process. De människor som vi tycker om, som vi är beroende av eller som har makt över oss, till exempel kärlekspartnern eller chefen, fungerar som vad man brukar kalla *betydelsefulla andra*. Hur vi uppfattas av dem är viktigt för oss. Visst kan vi bli illa berörda av att en tillfällig medresenär på bussen häver ur sig en vresig kommentar, men i regel tränger det inte in särskilt djupt i vår självbild.

I formandet av självbilden är alltså andra, viktiga människor direkt delaktiga. I det hänseendet är barn självklart inga undantag. De är om möjligt än mer prisgivna åt andras kommentarer. De *betydelsefulla andra* för barnen är först och främst föräldrarna, men även de personer som har vårdnaden om dem på daghem eller i skolan. Det kan också röra sig om syskon, andra släktingar eller nära vänner.

Vi ska dröja en stund vid det här fenomenet, och det av följande skäl: När vi reagerar på ett barns beteende – antingen positivt eller negativt – innebär vår reaktion inte enbart att vi styr barnets uppförande. Varje gång vi reagerar på vad barnet gör, fogar vi samtidigt små, små byggstenar till det som på sikt kommer att utgöra barnets självbild. Genom att spela ut sina inneboende möjligheter, sin potential, och få respons på detta från andra, vinner barnet insikt om sig självt. Det är när barnet är upptaget med den ena eller den andra aktiviteten, och då får feedback av andra, som det upptäcker vem det är.

När vi sätter gränser för våra barn, bör vi alltså hålla i minnet att vi samtidigt bidrar till att forma deras självbild. Därför är det förstås viktigt att vi bemödar oss om en viss omsorg i vårt sätt att återspegla. Att barn kan ta åt sig av kritik eller glädjas över beröm, det vet de allra flesta. Men här handlar det inte bara om att känna sig stolt eller nedslagen. Hur *vi* reagerar på våra barn, får konsekvenser för hur *de* framgent kommer att uppleva sig själva i förhållande till andra människor.

För att tränga lite djupare in i denna fråga, ska vi låna

några tankegångar från den amerikanske psykologen Erik Homburger Erikson, som varit något av en klassiker i vår förskollärarutbildning. För mer än femtio år sedan skrev han flera böcker, där han skildrade människans åtta åldersstadier, alltså människans identitetsutveckling i samspel med den sociala omgivningen genom vad han uppfattade som *livets åtta faser*. I det följande ska vi tilllämpa hans begrepp på den typ av samspel mellan barn och vuxna som är temat för denna bok. Vi begränsar oss därför till de fyra första stadierna: spädbarnsåldern, småbarnsåldern, lekåldern och skolåldern.

Tillit eller misstro

Människans första åldersstadium motsvarar hennes allra första levnadsår. Det är inte mycket vi minns av denna period. Hjärnan var då ännu inte i stånd till att vare sig uttrycka tankar eller minnas dem. Likväl erfar spädbarnet på sitt sätt hur det är att umgås med andra människor. Låt oss till att börja med föreställa oss ett antal godartade situationer. Vi utgår således ifrån att det händer något positivt var gång spädbarnet har med andra personer att göra. Den våta blöjan avlägsnas, hungern stillas, barnet har ögonkontakt, hudkontakt och är föremål för allsköns kel och gosande. Barnet kan ännu inte sätta ord på dessa erfarenheter. Men goda mellanmänskliga upplevelser kan inte desto mindre lämna spår i barnet, inte som en tanke eller insikt, men som ett slags hållning som man kan kalla *grundläggande tillit*. Föräldrarna kan förmedla till barnet sin övertygelse om att det finns en mening med vad de gör. Och barnet hämtar trygghet ur att andra vill henne väl. Denna hållning lägger grunden för att barnet även senare i livet, som vuxen, kan hysa tillit till andra människor.

Men ibland har föräldrarna inte de resurser eller möjligheter till omsorg som krävs för att ta hand om barnet på det sätt man kunde önska. I allvarliga fall kan det rentav förekomma barnmisshandel. Vi kan bara spekulera i hur detta upplevs av ett spädbarn. I vissa stunder är det underbart med de vuxna, andra gånger fasansfullt. Om barnet blir osäkert på vad det ska förvänta sig av den sociala omgivningen, kan det utveckla en *grundläggande misstro*. Då är vi vid skalans motsatta ände. Även denna egenskap kallas "grundläggande", för om utvecklingen inte hamnar på rätt köl igen, kan den här personen ännu i vuxen ålder vandra runt med en gnagande känsla av misstro. Det är således inte frågan om en föreställning som man kan argumentera mot eller rycka på axlarna åt, utan om en grundläggande förväntan att andra inte är att lita på.

En dansk konstnär berättade en gång i en intervju på tal om sin uppväxt, att hans mor en gång hade sagt åt honom att hoppa från bordet. Han hoppade – och hon tog emot. Än en gång sade hon åt honom att hoppa – och hon tog emot. Den tredje gången tog hon emellertid inte emot, utan han dråsade i golvet.

Där ser du – du ska aldrig lita på någon!

Vi får anta att moderns avsikt var att förbereda den lille på den grymma verklighet som väntar där ute. Nu kan man förstås betvivla sanningshalten i denna historia, men den kan inte desto mindre tjäna som en illustration av den sorts "härdande" barnuppfostran som pedagogiken övergav för flera hundra år sedan.

Varje gång vi gör något tillsammans med ett barn eller reagerar på något som barnet gör, inverkar det på denna dimension av misstro eller tillit. Men låt oss säga det med en gång: Knappt något barn kan räkna med att få växa upp i en tillvaro fodrad med dun, där hon badar i trivsel och grundläggande tillit i ett helt år. Alla föräldrar kommer någon gång emellanåt att känna sig trötta, pressade eller uppgivna, så att behandlingen av barnet understundom ter sig något brysk:

Jodå, jag minns allt förra fredagen, då var det inte mycket lull-lull. De små kom raskt i säng!

Jag tog i rätt ordentligt, faktiskt, men så hade ju lillan skrikit mer än tre timmar i sträck ...

Det här hör till livets rät- och avigsidor, för vi har trots allt alla våra för- och nackdelar. Det är egentligen rätt underligt att barn kan provocera oss så till den milda grad att de lockar fram egenskaper som vi själva knappt visste om att vi hade. En före detta barnombudsman uttryckte det en gång som så:

Att möta ett barn är att möta sig själv.

Med tanke på hur viktigt det är att bemöta ett litet spädbarn på ett adekvat sätt, är det inte så dumt om du så att säga "förprogrammerar" dig med avseende på hur du borde eller skulle vilja bemöta ditt barn. Det viktigaste att tänka på då är att du föresätter dig att alltid uppträda på ett sådant sätt att barnet känner att det kan lita på dig. Så när du halvt i sömnen vacklar in till ditt gråtande spädbarn mitt i natten, känner du säkert igen dig i följande milda replik:

Såja, såja, lilla vännen. Du vet att pappa alltid är så glad att få hjälpa dig, vad som än sker!

Och när ljuset på den allra första födelsedagstårtan blåses ut, ska föräldrarna för allt i världen inte tänka som så:

Nu, min lilla flicka, är tillitens och misstrons stadium passerat, så nu är inte mer att göra åt saken!

Frågorna kring tillit och misstro upptar oss nämligen så länge som vi lever. Senare i livet utkämpar vi barndomens strider om och om igen. Men redan under sitt första levnadsår gör människan sina första grundläggande erfarenheter av tillit och misstro.

Autonomi eller skam och tvivel

Människans andra åldersstadium sträcker sig från ett till tre år, vilket brukar kallas småbarnsåldern. Det finns många olika sidor av barnets utveckling under de här åren som man skulle kunna hålla fram, men här ska vi nöja oss med att demonstrera hur en ny egenskap hos barnet också ställer nya krav på oss vuxna. I småbarnsåldern utvecklas bland annat barnets egen vilja.

Förr var allt så enkelt! Då kunde du ta upp lillan och lägga henne på sängen och klä på och av henne som du ville. Men nu är det plötsligt en kropp med stålfjäder i ryggen som inte vill ha kläder på sig över huvud taget!

Även måltiderna kan arta sig till en pedagogisk prövning. Det frestar på att behålla uppfostrarglimten i ögat medan gröten hamnar lite var som helst!

Och samtidigt är viljan en utomordentlig egenskap! Mycket går att uträtta om man är viljestark, så självfallet önskar vi för allt i världen inte knäcka barnets egenvilja. Men å andra sidan kan vi ju inte heller låta barnet bestämma i allt. I det här stadiet blir vi varse hur uppkomsten av en ny egenskap hos barnet gör att barnet uppträder helt annorlunda mot förr, och därmed ställs nya krav på hur vi själva som föräldrar ska bete oss. Låt oss fundera över vilken betydelse våra reaktioner på den här situationen kan ha för barnets självbild.

I denna åldersfas har vi en ny skala, i vars ena ände vi placerar in begreppet *autonomi*. Barnet börjar få behov av att göra saker på sitt eget sätt. Och hur ska ett barn bli medvetet om vad det nu är kapabelt till? Jo, bland annat genom föräldrarnas reaktioner, alltså utifrån hur vi bekräftar barnet. Det kan bli direkt plågsamt för äldre syskon att ständigt höra oss föräldrar säga till det lilla barnet:

... oh, så duktig du är! ... vad bra du är!

För tvååringen är detta emellertid en upplyftande återspegling. Fast vi ska inte enögt stirra oss blinda på barnets prestationer. Vi ska också bibringa barnet en god självkänsla genom att bekräfta dess känslor och personlighet.

Men barnet riskerar naturligtvis också att få återspegling rörande saker som det ännu inte behärskar, och i denna ålder kan barn vara känsliga för att inte leva upp till de vuxnas förväntningar. På samma sätt som de små segrarna stärker barnets känsla av autonomi, hör de ofrånkomliga nederlagen till den motsatta sidan av skalan och ger upphov till *skam och tvivel*. Om föräldrarna genomgående betonar vad barnet ännu *inte* är tillräckligt bra på, är det fara värt att barnet införlivar detta med sin självbild.

Här vill jag emellertid tillägga att målet med uppfostran ingalunda är att barnet helt ska förskonas från alla tvivel på sin egen förmåga. Vad skulle det ge för barn?

Öppna fönstret, morsan, jag kan säkert flyga också!

Ibland kan det vara ganska sunt att hysa vissa tvivel beträffande sin egen förträfflighet. Om vi å andra sidan hela tiden förbereder ungarna på allt som kan gå galet, kan den förlamande känslan av skam och tvivel bli alltför tung att bära.

Även i detta avseende kan vi "programmera" oss själva en smula på förhand, så att vi gör det till en vana att i främsta rummet säga till barnen *vad de klarar av* eller, eventuellt, *vad de blivit litet bättre på*, och undvika att peka på allt de ännu inte behärskar. För även om känsligheten för skam och tvivel är särskilt stor i åldern ett till tre år, är detta något vi alla kämpar med också senare i livet.

Initiativ eller skuld

Människans tredje åldersstadium varar från tre till sex–sjuårsåldern, vad man kallar lekåldern. Under denna period genomgår barnet en mycket kraftig utveckling, och det kommer väl aldrig någonsin senare i livet att ta sådana enorma jättekliv i kompetensutvecklingen som nu. Även här ska vi fokusera på endast ett område, som visar att barnets utveckling ställer föräldrarna inför helt nya uppgifter.

Låt oss därför fundera ett slag över hur barn lär sig språket. De börjar tidigt att uttala ordliknande ljud och vid ettårskontrollen är allt väl om barnet kan tre ord. Men så formligen lyfter det! Ordförrådet vaxer, först med några hundratal ord om året, och därefter sväller det med flera tusen ord årligen. Barnet lär sig efterhand att behärska de flesta grammatiska konstruktioner som vi vuxna begagnar oss av. Plötsligt talar femåringen en fullt brukbar muntlig svenska, gärna på traktens dialekt.

Vi kanske inte inser hur rent vidunderligt detta är. Många gånger tror vi bara att barnet helt enkelt har apat efter uttryck som det hört från andra, men i själva verket är barn ständigt upptagna med att konstruera nya satser som de aldrig hört förr. Dessa utsagor är dessutom för det mesta grammatiskt korrekta, därför att barnen av sig själva snappat upp de regler som gäller för hur man sätter samman ord på ett meningsfullt vis.

Vi vuxna, till tänderna rustade med grammatikor och ordböcker, tvingas inse vår begränsning – hur många av oss hade kunnat resa till Kina, vistas där i tre år, och så återvänt obesvärat talande flytande kinesiska? Inte många.

Men skicka en tvååring och han eller hon kommer som femåring tillbaka och klarar det galant! Barnet skulle med största sannolikhet återvända hem med en grammatiskt korrekt kinesiska, ett fungerande ordförråd och en infödings uttal. Hjärnan är i den här åldern märkvärdigt plastisk och mottaglig för språkliga erfarenheter. Genom att lyssna på andra och tala med andra snappar barnet upp uttalen, innebörderna och språkreglerna. Språkstudenter skulle säkert ge bra mycket för att åter få uppleva tre sådana år! Då skulle de kunna resa till ett främmande land, leka med lokalbefolkningen, smaka på uttrycken och pröva dem själva, och sedan återvända hem och tala ett nytt språk flytande. Men det förblir en önskedröm för oss som nått vuxen ålder.

Barnet i lekåldern, däremot, ger sig oförskräckt i kast med bemästrandet av ett helt nytt språk, vilket innebär behärskning av ett oerhört kraftfullt verktyg som barnet sedan har oöverskådligt mycket nytta av. När barnet klarar av att sammanfoga ord till hela meningar, kan det också börja formulera helt nya meningar. Därmed kan barnet också börja snickra ihop sina egna föreställningar.

I teckningarna på nästa sida har barnet klarat av att formulera den banbrytande frågan: Passar pinnen eller passar den inte? Då är det klart att barnet inte kan hejda sig! Vägen från tanke till handling är inte lång. När vi i förra avsnittet talade om barn mellan ett och tre års ålder, såg vi att det var viktigt för barnen att *själva* göra något som *andra* tidigare hade gjort. Men när barnet har passerat treårsåldern, börjar det att hitta på saker själv som *ingen* har gjort förut. Och hur ska då de vuxna kunna förbereda sig på vad barnen hittar på?

Återigen blir det intressant att fundera över hur våra reaktioner på barnen i denna åldersfas kan komma att prägla deras självförståelse. I skalans ena ände har vi begreppet *initiativ*. I vår kultur är detta något av ett honnörsord. Initiativrika människor vill vi gärna ha, för det är människor som skapar nya kulturella uttryck, nya arbetsplatser eller är spännande att umgås med, därför att de har förmågan att överskrida gränser eller att tänka i nya banor. Men hur ska ett barn i lekåldern kunna inse att det besitter sådana kreativa möjligheter? Jo, genom att barnets sociala omgivning värdesätter och benämner dessa egenskaper.

Dagisfröken: *Har du målat det här alldeles själv?*
Barnet: *Ja! Jag!*
Dagisfröken: *Vad spännande att du målade just så!*

Med en sådan uppmärksamhet och återspegling kommer barnet att stärkas i sin uppfattning av sig själv som ett kreativt barn. Dessvärre är det inte alltid som vi uppskattar barnens initiativ. Det hör till saken att deras hyss och upptåg emellanåt går till överdrift. Om ett barn till exempel åstadkommer en spricka i fönsterrutan med en hammare, är det väl få föräldrar som skulle kommentera händelsen med att det minsann fordras en imponerande mental kapacitet för att genomdriva ett dylikt projekt. Nej, då är det annat ljud i skällan:

Hur kunde du – som är sex år gammal – hitta på något sådant!?

Därmed befinner vi oss i andra änden av skalan, där vi möter begreppet *skuld*. Plötsligt drabbar den oss – känslan av att det var något vi inte borde ha gjort. Alla människor får grunden lagd för skuldkänslor i den här åldern. Och charmen med skuldkänslan är att den förblir infantil och irrationell hela livet! En del känner säkert igen sig i följande situation:

Vuxen (svarar i telefon): *Hej, mamma! Hur mår du?*
Modern (som hör ljudet av ett lekande barn i andra änden): *Men kära söta, har du inte fått ungarna i säng än?*
Vuxen (rodnande): *Ja, nej, du förstår, det blev så här att ...*

Med ens är denna person, som alltså egentligen är vuxen, i full färd med att rättfärdiga sin handling – eller brist därpå. Ännu i vuxen ålder har våra mammor makt över oss! Blotta antydan att något borde ha gjorts på ett annat sätt, utlöser de mest irrationella reaktioner och hopplösa förklaringar. Med andra ord har vi släpat med oss mönster från barndomen ända upp i vuxenlivet. Denna tredje åldersfas pendlar således mellan initiativ och skuld. Men skuldkänslor behöver ingalunda bara vara något negativt. Att känna skuld kan också bilda utgångspunkten för ett gott samarbete. När den ena uppriktigt ångrar vad han gjort, och den andra kan förlåta det, då kan bägge parter lägga det inträffade bakom sig och gå vidare i livet. Men om vi genomgående tenderar att skylla på barnen för allt som går fel mellan oss, då lägger vi en börda på deras späda axlar som är tyngre än de mår bra av. I den här åldern kan barn rentav ta på sig skulden för något som de själva inte förorsakat, som till exempel att föräldrarna går skilda vägar.

Initiativ och skuld motarbetar eller uppväger varandra ömsesidigt. Och ingen människa bör väl heller hitta på vad som helst, utan att fråga sig om det kan drabba andra negativt. Men om barnet blir alltför skuldtyngt, kan det få problem med initiativkraften senare i livet, så som vi kan läsa i Liv Køltzows roman *Historien om Eli*:

Nej, det var likadant var gång hon hittade på något eller fick lust till något. Till och med när ingen annan fanns i närheten hörde hon deras invändningar.

Som föräldrar kan vi hjälpa till att kanalisera barnens aktivitet och utveckling till områden där deras initiativ kan skrivas upp på deras pluskonto:

Jajamän! Jag är en liten problemlösare!

Och vi kan försöka besinna oss, så att vi inte skäller ut våra barn alltför våldsamt när deras initiativ får konsekvenser som de inte kunnat räkna med. Annars kan räkenskapen snabbt kantra över i minus:

(suck!) ... jag är mammas och pappas största problem ...

Kompetens eller underlägsenhet

Skolstarten markerar övergången till en ny och viktig fas i livet, människans fjärde åldersstadium. Nu möter barnet nya förväntningar från helt nya personer som kommer att vara av stor betydelse i deras vardag. Barnet ska bli elev och traskar iväg till första skoldagen märkbart stolt. Men under åren i skolan kan det hända allvarliga saker med lusten att lära.

Skolan är en arena för triumfer och nederlag. Här kan individen göra väldiga framsteg men också bli utsatt för skoningslös rankning. Man ska bland mycket annat lära sig att läsa, skriva och räkna. Plötsligt finns en mängd nya kriterier för vad det är att lyckas respektive misslyckas. Barn kan bli kritiska till sin egen insats, deras arbete börjar jämföras med de andra elevernas och kanske börjar till och med föräldrarna att tjata om läxläsning och skolresultat.

Också i denna åldersfas har föräldrarnas återspegling stor betydelse för barnets självbild. Det är god återspegling att få höra att man gör ett gott skolarbete. Bara en sådan sak kan få barnen att tro på sin egen *kompetens*. Skulle barnen emellertid tycka sig märka att deras insats inte förslår, halkar de snart ner till skalans andra ände, där de upplever *underlägsenhet*. Envar har rätt till en undervisning avpassad efter egna förutsättningar. Alla elever borde ha åtminstone *en* upplevelse av framgång under loppet av en skoldag!

Därmed har vi gått igenom sammanlagt fyra begreppspar som säger något om den enskildes upplevelse av sig själv i förhållande till andra. De vuxnas reaktioner på barnens aktiviteter påverkar barnens självbild. Det är bland annat genom dessa reaktioner från de vuxna som barnen kommer till insikt om vilka de är. En självbild är inte ett självporträtt som barnet komponerar helt på egen hand. Vi vuxna är medskapare till porträttet, och därför måste vi självklart teckna bilder som barnet känner igen sig i. Därför måste också vår återspegling vara uppriktig och inte bestå av falskt beröm, samtidigt som vi ska vara vakna för att framhäva de fina dragen i bilden. För att barnen ska kunna komma på det klara med dessa drag, måste vi vuxna se dem först. Lyckas vi med detta, att uppmuntra och locka fram det goda i våra barn, då blir det mycket lättare för dem att tycka om sig själva.

Gränssättning handlar alltså inte enbart om att "få pli på ungen" eller om att få ett visst betecnde "under kontroll". Det handlar om att hjälpa barnet att inom sig bygga upp en självbild som en människa som kommer bra överens med andra människor. I förra kapitlet såg vi att man av och till måste ge ramar åt barnets beteenden – på gott och ont. I det här kapitlet har vi sett hur våra egna reaktioner på barnens beteende påverkar deras självbild.

Om vi nu sammanför synpunkterna från bägge kapitlen, ser vi för det första att vi, var gång vi reagerar positivt på barnet, mer eller mindre direkt bekräftar att:

Jag har förtroende för dig.
Jag uppskattar din självständighet.
Jag tycker om dina initiativ.
Jag värdesätter din kompetens.

Men samtidigt står det klart att reaktionen på barnens negativa beteenden är en långt större utmaning. För hur ska vi kunna ge en återspegling av något som vi inte önskar av barnet *utan* att på kuppen ingjuta misstro, skam, tvivel, skuld och underlägsenhet? Hur ska vi gå tillväga för att rama in det negativa beteendet och samtidigt bidra till att barnet får en positiv självbild? Det är frågor som vi tar oss an i nästa kapitel.

3 Barn lär sig

Som tidigare nämnts sker gränssättandet i flera etapper. För det första ramar man in barnens aktiviteter, för det andra hjälper man barnen att hålla sig innanför ramarna och för det tredje gör barnen med tiden dessa ramar till sina egna. Vi har alltså inte endast att ta ställning till hur barnen uppför sig, utan vi ska även hjälpa dem med att ändra på sitt beteende, ända tills de en vacker dag behärskar det på egen hand. En vägande aspekt av gränssättningen är således att barnen ska *lära sig något*. I det här kapitlet ska vi därför titta närmare på vad som påverkar barnens inlärning. Vi lägger tonvikten på tre principiellt skilda former av vuxenreaktioner, som bestämmer huruvida barnet i det stora hela upplever *positiv konsekvens*, *negativ konsekvens* eller *ingen konsekvens*. Våra sätt att reagera beskriver vi som positiv förstärkning, negativ förstärkning och nollförstärkning.

Positiv förstärkning

En aktivitet kan te sig positiv för barnet därför att den är rolig, spännande eller utmanande som sådan, eller därför att den ger ett tillfredsställande resultat. Det kan leda till att aktiviteten *förstärks*, i den meningen att barnet sanno-

47

likt kommer att upprepa den flera gånger eller med större iver. Det är inte konstigare än att barn gärna gör om sådant som de har positiva erfarenheter av.

En positiv förstärkning kan också bestå i något som följer på ett visst beteende och som därmed ökar sannolikheten för att beteendet upprepas. När vi vuxna reagerar positivt på något som barnet gör, kallas det *belöning*. Det betyder självfallet inte att vi ska ge barnet materiell belöning så fort det uppför sig väl, för vad skulle det i så fall uppmuntra barnet till?

Vuxen: *Nu måste du städa upp på ditt rum!*
Barnet: *Vad får jag för det?*

Barnet hänvisar genast till "tariffen", kanske därför att det tidigare har fått bekräftelse på att den typen av utpressning fungerar.

Belöning kan man ge på många andra vis. Vi kan visa barnen att vi lagt märke till något de gjort. Vi kan berätta för dem att vi tycker att de uppför sig väl. Vi kan visa dem att det gladde oss att de klarade av något. Vi kan anmärka att de lyckats med något som de tidigare inte klarat av lika bra. Och utan att ens säga något kan vi se uppskattande på dem, klappa om dem eller ge dem en kram. Det förutsätter givetvis att dessa reaktioner är äkta, att det barnen gjorde verkligen gladde oss, och att det är viktigt för oss att barnen uppvisar ett visst beteende. Alla sådana reaktioner från vår sida kan fungera som positiva förstärkare och därigenom bidra till att uppmuntra ett visst beteende.

I olika inlärningsteorier talar man också om betydelsen

av *frekvensen* i användningen av positiva förstärkare. Om en viss handling alltid bemöts med positiv förstärkning, kallas det för *konsekvent positiv förstärkning*. I praktiken är det kanske svårt att tänka sig en aktivitet som barnet alltid upplever som positiv. Möjligen att äta glass: Själva ätandet av en glass förhöjs ju av den goda eftersmaken. Och det är inte ofta man ser ett barn tacka nej till en glass. Låt oss därför använda det som ett exempel eller som en illustration av att en aktivitet kan bli positivt förstärkt varenda gång.

Om den positiva förstärkningen bara dyker upp *ibland*, talar man om *delvis positiv förstärkning*. Även detta kan illustreras med ett exempel ur vardagen. På senare år har det varit mycket skriverier i tidningarna om spelautomater. Några av de allra första spelautomaterna på marknaden var 1-kronorsautomaterna, snart följda av en hel armada av andra myntautomater. Gemensamt för dem alla är att man har mycket större chanser att förlora sina pengar än att vinna. Automaterna är särskilt konstruerade för att generera intäkter till ägarna. Trots att detta inte är någon hemlighet, rycker det i fingrarna på väldigt många så fort de får syn på en sådan automat. Utsikten att (åtminstone någon gång ibland!) få höra det härliga rasslandet av enkronor längst ner i automatens myntränna, lockar många till att pröva lyckan. Automaten ger spänning, men positiv förstärkning ger den endast sällsynta gånger. Fast även detta lilla räcker för att många ska fortsätta spela.

Det här är egentligen rätt allvarligt. Alla pengaspel bygger på principen om delvis positiv förstärkning. Ägarna till spelen inkasserar ungefär hälften av insatserna varje vecka (vilket gör dem till de verkliga vinnarna). Men ägarna har också tagit hänsyn till hur spelarna ska belönas. Som regel bygger man upp en jättelik förstavinst som drar uppmärksamheten till sig – trots att den endast kan vinnas av en enda person. Det är också ägarna som bestämmer hur många som ska vinna lite grann någon enstaka gång, precis tillräckligt för att de likväl ska fortsätta att satsa sina pengar. Det gäller att behålla sina marknadsandelar för spelföretagen, och därför lägger de ner mer pengar på de fjuttiga småvinsterna än på storkovan. Det lönar sig. Kanske har du själv fått en utbetalning på en femtiolapp i brevlådan någon gång?

Spelaren: *Oj! Jag vann … nästan!*
Spelbolaget: *Vad bra! Det är en liten uppmuntran från oss, så att du ska fortsätta kasta dina pengar över oss!*

Det här är en god illustration av effekten av delvis positiv förstärkning, och med denna nyvunna kunskap ska vi betrakta en standardsituation i många barnfamiljers hem.

Någon som känner igen sig i förhandlingsproceduren på nästa sida? Det här är bara början. Låt säga att barnet fick den extra sagan på en tisdag. Han försöker igen onsdag och torsdag utan framgång, men på fredagen har mamma lite mer tid, så då blir det en extra saga igen. Samtidigt har mamma börjat beklaga sig över pojken:

Jag fattar inte vad det gått åt ungen! Han har blivit så tjatig!

Det verkar ibland som om vi vuxna hade ett slags skygglappar som hindrar oss från att se vad vi egentligen gör.

Barnets tjat är något som uppstått under en kort glipa i den invanda rutinen, och kanske borde vi lätta på skygglapparna en smula och se efter om inte barnets beteende i

första hand beror på dess erfarenheter av glipan i våra rutiner? Och hur har det då sett ut från barnets sida? Jo, det är ju lika spännande som att spela på en enarmad bandit! Ibland ger det vinst, ibland inte.

Jag vet inte riktigt hur det funkar, men jag får ju en extra saga ungefär var fjärde kväll, och det räcker gott och väl för mig!

De flesta tjatiga barn har goda grunder för sitt tjat, i varje fall ibland! Barn som tjatar borde tilldelas diplom för god inlärning – de har ju visat sig kunna dra de rätta slutledningarna! Utan att ens veta vad ordet "tjat" betyder, har de på sitt eget finurliga och intuitiva vis upptäckt en strategi som kan leda till belöning. Ironiskt nog bemöts de av många vuxna som så:

Du måste förstå att du inte kan hålla på och tjata så där!

En föga insiktsfull analys – som inte renderar den vuxne något diplom. Som om barnen skulle behöva förstå någonting över huvud taget! Man behöver rakt inte förstå begreppet tjat för att tjata. Tvärtom är det den vuxne som borde förstå varför barnen börjat bli tjatiga.

Alltså: Varje aktivitet kan förstärkas av att barnet förknippar den med något positivt, och detta fungerar oavsett om förstärkningen är konsekvent positiv eller bara delvis positiv.

Nollförstärkning

Nollförstärkning innebär att en aktivitet i sig själv är intetsägande eller ointressant, eller att den inte har några särskilda konsekvenser för barnet. Enligt flera inlärningsteorier kommer ett barn i längden inte att idas fortsätta med något som inte leder till något. Effekten av nollför-stärkning kan därför bli att aktiviteten "avprogrammeras", gallras ut eller faller i glömska. Också vi vuxna kan nollförstärka barnets aktivitet. Det är inte detsamma som att vi inte bryr oss om hur barnet beter sig, för vi kan mycket väl säga vad vi tycker om det, men utan att fördöma beteendet eller göra något stort nummer av det. Detta kan vi utnyttja när vi sätter gränser, till exempel om vi vill hjälpa barnet att sluta upp med ett uppförande som vi inte finner önskvärt.

Om ett beteende ska "avprogrammeras", spelar det naturligtvis en viss roll hur det en gång lärdes in. Vi nämnde glassätande som ett exempel på en aktivitet som blir konsekvent positivt förstärkt. Barnet har gjort den erfarenheten att det alltid är gott att äta glass. Låt oss nu tänka oss att glassen helt plötsligt saknar smak. Detta faktum skulle antagligen slå ner i barnets medvetande som en bomb. Däremot nämnde vi spelautomater som ett exempel på delvis positiv förstärkning. Säg då att spelbolagen plötsligt spärrar myntautomaternas utbetalningsmekanik. De flesta skulle reagera som så:

Äsch ... ingen vinst idag heller. Nå, jag får väl försöka imorgon igen!

Men det tar ett tag innan det går upp för oss att någonting ändrats. Vad beror det på? Jo, vi har härdats av motgångarna! Vi har vant oss vid att inte alltid lyckas, och därför kan vi fortsätta med samma beteende långt efter det att vinstutbetalningarna upphört.

Det här illustrerar att ett beteende som blivit inlärt genom delvis positiv förstärkning kan vara svårare att få bort än ett som lärts in med konsekvent positiv förstärkning. Om du alltså först har lyckats med att uppfostra barnet till tjatighet, kommer det också att krävas en längre, tydligare och mer konsekvent bearbetning från din sida för att få tjatandet att upphöra. Men det går. Om vi vill åtgärda ett icke önskvärt beteende, bör vi alltså försöka bilda oss en uppfattning om vad det är som eventuellt förstärker beteendet i positiv riktning. När vi kommit underfund med var dessa "plusstecken" (+) finns, ska vi försöka ersätta dem med "nollor" (0) i stället. Men vi återkommer till detta lite senare, och nöjer oss för närvarande med sammanfattningen att nollförstärkning kan bidra till att ett beteende försvagas eller helt försvinner.

Negativ förstärkning

Den tredje och sista undergruppen kallas för *negativ förstärkning*. Det innebär egentligen att ett beteende kan förstärkas genom att något negativt, som sedan tidigare förknippats med beteendet, avlägsnas. Här ska vi emellertid koncentrera oss mer på hur en negativ konsekvens kan *hämma* ett oönskat beteende. Bränt barn skyr, som bekant, elden. Negativa erfarenheter kan få barnet att undvika sådana erfarenheter i framtiden. Om vi vuxna knyter en negativ sanktion till något som barnet gjort, talar vi om straff. Barnbestraffning är ett långt och mörkt kapitel i pedagogikens historia. Vi behöver inte gå stort mer än hundra år tillbaka i tiden för att stöta på en regel i uppfostran, som var vanlig förr i världen och som lydde:

Den man älskar, agar man.

Oslos katedralskola grundades redan år 1153. Allt sedan dess består denna ärevördiga skolas emblem av en ljusblå sköld med två korslagda redskap, ett ris och en färla, bådadera tingestar som uppenbarligen tjänat som lärarnas förnämligaste redskap i arbetet med att fostra och undervisa eleverna. Sådana straffredskap ansågs förr vara helt oumbärliga för att göra nyttiga samhällsmedlemmar av eleverna. Två tortyrredskap har alltså fått tjäna som symboler för en över åttahundra år gammal pedagogisk institution.

Men allt det här måste ses mot bakgrund av den tidens pedagogiska ideologi, som hängde ihop med teologin. På medeltiden var livet i det hinsides ojämförligt mycket viktigare än livet här och nu på denna jorden. För att tillförsäkra barnen ett evigt liv, måste uppfostrarna vaka över att djävulen inte tog sin boning i dem. När barnen tredskades, kunde det vara ett tecken på att en liten djävul omugit sig in i dem. Och då gällde det att banka ut den. I det perspektivet var det egentligen inte barnen som lärarna bestraffade, utan djävulen inne i dem, låt vara att barnen själva kanske hade svårt att inse denna nätta lilla distinktion. Deras egen upplevelse var förmodligen att det även var dem man straffade. Men pedagogerna hade hur som helst ett skäl för att agera som de gjorde!

I många kulturer är det ännu så att barnens oönskade beteenden "behandlas" med kroppslig bestraffning. Enligt svensk lag är detta förbjudet.

Men även om vi numera inte får ta till fysisk aga, finns det många andra sätt för den vuxne att, i kraft av sitt överlägsna intellekt, ta hämnd på barnen. Det kan ske genom ironiska kommentarer, eller genom att vi gör oss lustiga på deras bekostnad. Vi kan racka ner på dem, kanske genom att jämföra dem med andra, mycket yngre barn. På engelska finns en träffande term för detta: *to belittle*, ordagrant att få någon att känna sig liten. Barn kan vara oerhört känsliga för sådana gliringar under uppväxten. För bortåt tio år sedan hände det i Norge att en yngling mördade sin far. I rätten framkom det att pojken sedan barnsben konsekvent hade mobbats av sin far. Sonen hade goda begrepp om rätt och fel, men att chikaneras på detta sätt av en person som han både var beroende av och tyckte om, fick honom att bokstavligen tappa fattningen. Domstolen menade att det häri låg starkt förmildrande omständigheter. Detta tragiska exempel visar att psykisk bestraffning många gånger kan vara mycket värre än ett fysiskt straff. Dessutom är det mer försåtligt eller dolskt, eftersom ingen någonsin kan se några spår i form av blåmärken eller svullnader ...

Som redan nämnts är det enligt svensk lag förbjudet att utsätta barn för aga, men även för annan kränkande behandling. I Föräldrabalken från 1979 står det:

Barn har rätt till omvårdnad, trygghet och en god fostran. Barn skall behandlas med aktning för sin person och egenart och får inte utsättas för kroppslig bestraffning eller annan kränkande behandling.

Enligt den svenska socialtjänstlagens definition omfattar barnmisshandel både fysisk och psykisk misshandel.

Här är alltså den fysiska hälsan jämställd med den psykiska. Det betyder att vi heller inte har rätt att straffa barnen psykiskt.

Fördelar och nackdelar med belöning respektive straff

Kan man då säga att positiv förstärkning är uteslutande bra och negativ förstärkning uteslutande dåligt? Nej, fullt så enkelt är det inte. Bägge typer av sanktioner kan ha både bra och dåliga konsekvenser. För att illustrera för- och nackdelarna med belöning respektive straff, kan vi utföra ytterligare ett litet tankeexperiment.

Säg att du bestämmer dig för att ge din son så mycket positiv återspegling du bara kan så fort det finns skäl därtill. Vad blir följden? En pojke som fått så mycket bekräftelse kan utveckla massvis med grundläggande tillit, autonomi, initiativ och kompetens. Det är naturligtvis bra! Men en nackdel är att grabben blir så fullmatad med självkänsla att han i vissa situationer kan bli smått odräglig. Emellertid väger fördelarna tyngst här. Vad de mindre trevliga bieffekterna beträffar, kommer nog livet självt att slipa ner hans beteende med tiden.

Säg nu att du gentemot din dotter väljer motsatt strategi. Här gäller straff eller hot om straff så snart det finns anledning till det. Och vad uppnår du med det? Jo, många kommer att se henne som ett rent föredöme! En flicka som alltid sitter stilla, aldrig kladdar ner sig, alltid är lydig och aldrig faller de vuxna i talet. Nackdelen är att hon samtidigt förefaller kuvad, undertryckt och hämmad. Och när denna unga kvinna inte längre behöver underordna sig föräldrarnas förväntningar, är det ju inte bara att trycka på knappen och bli sprudlande spontan igen. För biverkningarna i det här fallet är långt allvarligare och sitter i mycket längre.

Varför är det så? Ett barn som fått övervägande positiv återspegling från sina föräldrar, har i själva verket ingenting särskilt att frukta. Han eller hon söker lätt upp motsvarande förhållanden igen, och även om den positiva förstärkningen bara skulle infinna sig någon gång ibland, så gör det inte så värst mycket. Det är inte så farligt, barnet klarar ändå av att upprätthålla trygga relationer till folk i sin omgivning. Situationen blir mycket annorlunda för ett barn som upplever att föräldrarnas återspegling är merendels negativ. Sådana barn är inte lika angelägna om att söka belöning, utan tvärtom mer upptagna med att undvika bestraffning. Och för att göra det måste man ständigt vara på sin vakt. Det kan leda till att de här barnen utvecklar ett trevande, försiktigt och mycket vaksamt väsen. Och den hållningen sitter mycket djupare och är mycket svårare att frigöra sig ifrån.

Såväl belöning som straff kan alltså påverka barns uppförande. Men bäggedera har sina nackdelar. Nackdelarna med bestraffning är emellertid klart allvarligare. Straff hämmar inte bara ett visst beteende, det tenderar till att hämma hela barnet. På kort sikt kanske man uppnår ungefär lika goda resultat med ros som med ris, men på längre sikt gör vi klokast i att föredra positiv återspegling framför den negativa varianten. Med andra ord kommer vi utifrån helt andra premisser fram till samma slutsats som juristerna.

Därmed inte sagt att vi alltid lyckas undgå att reagera på olika sätt som av barnen upplevs som straff. Men vi kan "programmera" oss till att i större utsträckning använda positiv återspegling. Barn behöver inte straffas för att förstå att de gjort något fel, och de behöver heller inga straff för att lära sig att göra det rätt. Därför bör vi försöka att göra mindre bruk av minustecknen (negativa sanktioner), och då står vi där igen med plustecknen (positiva sanktioner) och nollorna (ingen sanktion). Hur vi kan utnyttja dessa på bästa sätt ska vi se i följande tre avsnitt.

Positivt eller negativt för vem?

Innan vi går vidare vill jag emellertid klargöra en viktig sak. Även om en vuxen person i en given situation kan ha en aldrig så klar uppfattning om vad som är en positiv respektive negativ förstärkning, är det långt ifrån säkert att barnet ser det på samma sätt. Vi kan illustrera detta med några exempel och börjar med en palaver på ett konditori:

Det är inte svårt att tänka sig att detta från moderns sida är menat som en negativ återspegling och att det vittnar om en stark önskan om att denna typ av beteende hos dottern ska upphöra. Men vilken betydelse får egentligen moderns reaktion för barnet, som ju lämnar konditoriet med den trygga förvissningen om att det faktiskt ligger en semla i mammas kasse? Man kan bara spekulera i hur det gick sedan, men helt osannolikt är det väl inte att humöret ljusnade när de väl kom hem, och att semlan förtärdes vid köksbordet.

Modern reagerar kraftigt på att barnet kletar med semlan på konditoriet och levererar en högljudd reprimand inför publik. Vad mamman kanske inte inser lika klart är att hon genom att köpa semlan *belönar* barnet för dess beteende. Mamman ger alltså upphov till två olika förstärkningar på samma gång. Avgörande för barnet är emellertid inte vad mamman säger, utan vad hon gör. Detsamma har förmodligen också skett flera gånger tidigare, eftersom mamman inleder med att säga: *"Har jag inte sagt åt dig ..."*

Vad kunde mamman har gjort annorlunda i den här situationen? Även om hon kände sig förpliktad att betala för semlan, så kunde hon rätt och slätt ha kastat den i soptunnan på vägen ut (eller, om en sådan åtgärd hade känts för drastisk och kanske onödig, gett den till någon annan än barnet). På så vis skulle hon ha annullerat det som för barnet var en positiv förstärkning och ersatt det med en nollförstärkning.

Man kan också tänka sig diverse situationer på dagis, där de vuxna och barnen har olika uppfattning om huruvida de vuxnas återspegling är positivt eller negativt förstärkande. Ta exempelvis den stund mitt på dagen som ofta är avsatt för fri lek utomhus. Under tiden passar personalen ofta på att uträtta en del göromål inomhus, så det inte är alldeles lätt för barnen att fånga de vuxnas uppmärksamhet. *Ett* sätt att få uppmärksamhet är emellertid säkert – att göra något *fel*! Om barnet rycker upp en tulpan ur rabatten, infinner sig snart en välmenande pedagog som kanske till och med lyfter upp barnet i famnen innan den milda förmaningen kommer:

Men snälla, lilla du! Tulpanen måste ju också få leva. Lova att du inte gör om det!

Och efter att ha försäkrat sig om att det inte råder någon missämja mellan dem, sätter den vuxna ner barnet på backen igen. Och så står barnet kanske där och förundras över att precis detsamma sades två gånger förra veckan också. Den vuxne ser bara det negativa i blomsterattacken. Men barnet kan uppleva det helt annorlunda:

Den enda hon tog i famnen var mig!

På fackspråk brukar man kalla denna företeelse för *negativ uppmärksamhet,* eftersom barnet får uppmärksamhet genom att göra något negativt. Men som det heter i reklambranschen: Dålig PR är också PR. Det viktigaste för barnet är att bli sett. Vad barnet är ute efter, det är att någon av de vuxna ska vända sig till det och visa intresse. Den vuxnes försök att ge negativ förstärkning överskuggas helt av den positiva upplevelsen av att ha blivit sett.

Den här punkten kan vi gott och väl dröja vid en stund. Barn har ett naturligt behov av bekräftelse och uppmärksamhet. Det tänker inte alltid vi tröga föräldrar på. För barnet kan detta att bli sett och få bekräftelse bli så angeläget, att barnet gör snart sagt vad som helst för att dra uppmärksamheten till sig. Och ofta ska det till något helt galet för att föräldrarna ska reagera. Det som då i de vuxnas ögon är en negativ konsekvens är ur barnets synvinkel en positiv konsekvens.

En pappa frågade en gång om det fanns något knep för att få dottern att sluta slå med gaffeln på telefonen så fort han skulle ringa. Det visade sig att han var läkare och att han många gånger genast efter middagen måste ringa in sina recept till apoteket. För att hindra dottern från att störa samtalen, blev han ofta tvungen att antingen först gå med henne in i barnkammaren och sysselsätta henne med det ena eller det andra, eller att vänta med samtalen tills hon gått och lagt sig. I samma stund som han var färdig med presentationen av sitt problem, stod det klart för honom vad dottern egentligen höll på med och hur hennes beteende i själva verket hade förstärkts i positiv riktning av hans egen reaktion.

För personalen på dagis är det ofta ganska tröttsamt när barnen börjar intressera sig för vissa förbjudna ord. Extra tillspetsat blir det gärna i samband med måltiderna, och det finns gränser för hur roligt det är för de vuxna att höra hur många som har bajs på tallriken. Då vill man kanske gärna sätta en gräns:

Christian, om jag hör dig säga det ordet en gång till, får du gå ut i hallen och vänta där tills du har bestämt dig för att äta ordentligt!

Det fungerar, Christian tystnar, men så fort han är tillbaka vid bordet kör det igång igen:

Martin har bajs i maten!

Den vuxne har nu inget annat val än att bära ut Christian i hallen igen (med klorna lite mer ute än vad som är nödvändigt för transporten, för inte heller personalen är ju mer än människor). Och så står den vuxne där och undrar vad i all världen Christian uppnår med detta? Han skiljs ut från det goda sällskapet, och den vuxne kan inte se detta som något annat än en negativ konsekvens.

Men nu tänker vi oss att Christian inte är fullt lika djärv som sina jämnåriga när det gäller att hoppa och klättra, till exempel. Med andra ord kan han inte hävda sig lika väl som andra när det är sådana egenskaper som räknas. Men *en* sak är det *endast* Christian som törs, nämligen att reta personalen till vanvett under måltiderna. Han gör det gång på gång. Och varje gång han bärs ut från matrummet, skördar han uppskattande blickar från hela femåringsgruppen. Återigen ser vi hur det, som för den vuxne är en negativ förstärkning, för Christian är en reaktion som garanterar honom den belöning han åstundar.

En annan prövning för de vuxna är när barnen börjar bli roade av svordomar. Mitt under middagen häver den lille pojken förhoppningsfullt ur sig ett svärord. Och då är kanske pappa inte sen att reagera som så:

Far (drämmer näven i bordet): *Vad är det jag hör? Det ska vi inte ha mer av, tack!*

Men ack, redan nästa dag sitter junior vid bordet och svär igen. Sånär att pappa också svär. Situationen skärps:

63

Far (mörk i ansiktet): *Nu får det vara nog! Upp på rummet med dig!*

Inte heller här kan den vuxne se att det rimligen skulle kunna handla om något annat än avskräckande, negativ återspegling. Kan det tänkas se annorlunda ut ur barnets perspektiv?

Mamma och pappa är vuxna, de är alltid överens och har alltid rätt. Men se så lätt jag kan få pappa att se lustig ut under middagen! Ha! Det är minsann inte bara jag som verkar dum när jag blir arg. Det gör ju han också!

Barn är ofta underlägsna sina föräldrar när det gäller makten att definiera och möjligheten att sanktionera. Därför kan det säkert vara en smula befriande, om än lite läskigt, att upptäcka att man faktiskt äger makten att reta dem till vansinne! Själva vitsen med att svära är ju just att provocera någon. Och när pappans anlete mörknar, har avkomman lyckats i sitt uppsåt. Pappan, däremot, förstår inte att hans kraftiga reaktion på provokationen inte bara har en avskräckande verkan (negativ förstärkning), utan faktiskt också gör det provocerande beteendet spännande (positiv förstärkning).

Utmaningen

Om en reaktion ska rubriceras som belöning eller bestraffning beror alltså på vilket perspektiv som anläggs, från vems synpunkt saken bedöms. Men det är trots allt i barnets huvud som inlärningen sker. Därför är det *barnets upplevelse* av förstärkningen som har den största inverkan på inlärningen, inte i främsta rummet föräldrarnas avsikt med förstärkningen. Om barnet har börjat uppföra sig på ett sätt som du finner problematiskt (och det gör de flesta barn av och till), är det bästa du kan göra att fråga dig själv:

Vad uppnår mitt barn med detta?

Utmaningen ligger således i att försöka se beteendet utifrån barnets egen horisont. Var finns de dolda plustecknen? När du kommit underfund med hur förstärkningen kan te sig positiv *för barnet*, blir nästa steg att luska ut om det är möjligt att avlägsna den och ersätta den med en nollförstärkning.

Låt oss gå tillbaka till exemplet med pappan som reagerade negativt på sonens grova ord vid middagsbordet. Vad kunde han ha gjort annorlunda för att vänja sonen av med att svära? Nollförstärkning betyder inte att pappan ska förhålla sig likgiltig till sonens upptåg, men ett rätt enkelt knep hade varit att pappan sagt att han inte bryr sig särskilt mycket om svordomar och därför låtsats vara oberörd. Så fortgår middagen som om ingenting hänt. Om pojken svär igen vid middagsbordet några dagar senare, kan pappan upprepa vad han tycker om svordomar utan att vidta några åtgärder i övrigt. Det blir knappast så mycket mer svordomar vid ett sådant middagsbord. Hela poängen med att svära är liksom bortblåst.

I förra kapitlet såg vi hur den vuxnes sätt att reagera kan påverka barnets självbild. I det här kapitlet har vi tittat lite närmare på hur våra reaktioner kan förstärka eller hämma deras beteende. Som vuxna uppfattar vi barnets uppförande som gott eller dåligt, och våra egna reaktioner som positiva eller negativa. Vi såg också att det som avgör det hela är hur reaktionerna upplevs i huvudet på barnet. Utmaningen för oss vuxna blir därför att kunna se saker ur barnets perspektiv. Samtidigt som vi uppfostrar barnen, kan vi uppfostra oss själva! Den goda gränssättaren är den som inte endast lär ut, utan som också lär sig själv.

4 Några viktiga frågor

Som vi har sett påverkar gränssättningen både barnens självbild och inlärning. Således ska vi som vuxna försöka att förhålla oss till barnens beteende på ett sådant sätt att de får en positiv syn på sig själva och lär sig att uppträda medmänskligt. Vi har också sett att gränssättning sker i flera etapper. I en första omgång är det upp till oss att tillhandahålla ramarna för ett visst beteende, därefter ska vi hjälpa barnen att förhålla sig till dessa ramar, så att de slutligen, i ett tredje steg, förhoppningsvis ska kunna göra ramarna till sina egna.

Här ska vi nu konkretisera detta ytterligare utifrån några grundläggande frågor som man alltid kan ha nytta av att ställa sig:

Var *går* egentligen gränsen?
Hur gör jag gränsen *tydlig* för barnet?
Hur *reagerar* jag gentemot barnet?

Det gäller alltså för det första att *reflektera*, för det andra att *markera* och för det tredje att *reagera*. Bär vi medvetet med oss dessa frågor, kan vi efterhand bygga upp en sorts handlingsberedskap så att vi också uppträder både tryggare och klokare nästa gång det uppstår en besvärlig situation mellan barnen och oss.

I det här kapitlet behandlas gränssättandet en smula generellt, vilket gör att problematiken möjligen framställs i väl förenklad form. Men synpunkterna kommer att nyanseras efterhand, inte minst när vi i efterföljande kapitel försöker att tillämpa dem på konkreta situationer. Här ska vi emellertid söka efter ett slags allmänna grundregler i gränssättandet, så att vi kan sätta gränser mer tydligt, genomtänkt och konsekvent.

Var går egentligen gränsen?

I levande livet tvingas vi ofta reagera tämligen omgående på barnets beteende. Vi har inte alltid tid och möjlighet att tänka igenom allt vi säger eller gör. Men allt eftersom vi utkämpar diverse konflikter med barnen, går det att skönja vissa mönster i deras beteende. Ibland märker vi säkert att också vi själva reagerar enligt ganska typiska mönster. Och kanske gillar vi varken barnens repertoar eller vår egen. Att komma underfund med vad man *inte* önskar, är ett viktigt steg på vägen mot att bestämma sig för hur man *vill* ha det.

Den första frågan apropå gränssättning lyder således: *Var går egentligen gränsen?* För många kan detta låta som en självklarhet. Men det händer att man sätter ett stort antal gränser utan att man över huvud taget har ställt sig denna fråga eller nöjaktigt besvarat den.

Om vi vill sätta en gräns, måste vi kunna ange en grund för den. Åtminstone för oss själva. I exemplet på nästa sida har pappan inget annat argument att komma med än sin egen auktoritära stil. Vad lär sig barnet av det? Kan-

ske att hela frågan om gränser är en fråga om *vem som har makten?* Sätter vi gränserna rent godtyckligt, utifrån vårt eget gottfinnande, från situation till situation eller från dag till dag, då lär sig barnet snabbt att se gränssättandet som en *utgångspunkt för förhandlingar.* Låt oss se på följande situation:

Sonen: *Mamma, får vi ta madrassen ur sängen och rutscha på den i trappan?*
Mamman: *Nej ... det tror jag inte är någon bra idé ...*
Sonen: *Snälla mamma, det är så himla kul!*
Mamman: *Jo, men ni kanske slår er?*
Sonen: *Nej då, vi gjorde det hos Peter igår. Det var jättekul!*
Mamman: *Säger du det? Men kan ni inte hitta på något annat roligt då?*

69

Sonen: *Åh, mamma! Snälla!*

Mamman: *Men går inte madrassen sönder då?*

Sonen: *Vi lovar att vara försiktiga!*

Mamman: *Okej, om ni lovar att ta det försiktigt så ...*

Det är inget fel i att mamman här i slutänden intar en annan ståndpunkt än den hon gick ut med. Ibland måste vi ju självklart kunna bolla med synpunkter innan vi tar definitiv ställning och fattar beslut. Men det vanskliga här är att mamman över huvud taget inte har någon ståndpunkt från början, utan närmast rutinmässigt sätter upp en buffert och svarar nej, liksom för att vara på den säkra sidan. Sonen har uppenbarligen tidigare erfarenhet av detta och vet vad som krävs för att ta hem segern. Men om vi inte har tagit ställning, varför då inte säga som det är?

Vet du, det där är jag inte säker på.
Det måste jag först tänka igenom.

Utfallet är öppet, det kan lika gärna resultera i ett ja som i ett nej. Men att från början säga nej på ett oreflekterat restriktivt sätt, för att sedan gira över till ett motvilligt ja, det ger hos barnen upphov till en väl bekant förhandlingsstrategi som styrs av insikten att:

Ett nej = ett nej = ett nej = ett ja!

Särskilt olyckligt blir det om barnen tar till samma strategi även när du verkligen står för ditt beslut. Då kanske du blir tvungen att ta i lite extra för att de ska förstå att du menar allvar. Men hur ska de kunna göra skillnad mellan bu och bä, mellan när du menar allvar och när du kanske ger efter? Vitsen här är inte att ställa gränssättning och förhandling mot varandra, eller att principiellt förespråka det ena och rata det andra. Det viktiga är att vi kan tydliggöra vad för slags situation vi befinner oss i, när vi har med det ena att göra och när med det andra. På så vis undviker vi att gränssättningen rutinmässigt urartar i ett ständigt parlamenterande, eller att förhandlingsrätten trycks ner och ersätts med stelbent gränssättning.

Om du är inkonsekvent eller eftergiven när det gäller vissa gränser, kan du lugnt räkna med att barnen tar en rövare också när det gäller andra gränser. För hur ska barnen kunna avgöra vilka gränser som är viktiga och vilka som är relativt oväsentliga? En god utgångspunkt för gränssättningen är att du frågar dig själv:

Varför reagerar jag så här på att barnet uppför sig så där?
Hur vill jag egentligen att mitt barn ska bete sig?

Då är du redan i full färd med att definiera de två ramar som tydliggör vad som är önskvärt och vad som inte är det. Om du på detta vis tvingar dig till att reflektera över din ståndpunkt, kommer du att upptäcka att det i somliga fall rör sig om rena bagateller medan andra frågor är direkt väsentliga för dig. Då kan du också urskilja var gränssättningen verkligen behövs.

I en undersökning frågade man barn om de regler som gällde på deras dagis. En sexåring kunde ge besked om hela 45 påbud och förbud på hans avdelning. Det rann ur honom som ärter ur en påse! Man kan fråga sig om inte personalen på den avdelningen borde koncentrera allt detta till något färre och viktigare regler. Å andra sidan behöver man väl inte uppehålla sig särskilt länge i ett genomsnittligt hem, förrän man kan räkna upp 45 olika saker som föräldrarna blir arga på.

Man ska också akta sig för att låna hem grannens sätt att dra gränser och tillämpa det på sina egna barn. Grannen kanske står för helt andra värderingar än du. Och att grannens barn skulle må bra av en annorlunda uppfostran, det har du säkert insett för länge sedan! Det är alla föräldrars privilegium och förpliktelse att själva ta ställning till vilka värderingar deras barn ska fostras efter. Många föräldrar uppfattar daghemspersonal och lärare som ett slags specialister på barn – i regel med viss rätt. Men även de måste inhämta föräldrarnas samtycke till vad de ämnar göra med barnen. Uppfostringsmandatet ligger i sista hand hos föräldrarna.

Ju bättre du blir på att ange grunden för dina gränsdragningar, desto närmare kommer du dina egna värderingar och din egen människosyn. Och desto lättare blir det att hantera de gränser du verkligen står för. Om det nu är så att barnen skapar sin självbild utifrån vår återspegling, då skadar det ju inte att detta sker på grundval av värdebaserade, genomtänkta kriterier.

Hur kan gränsen göras tydlig?

Men det hjälper föga att dina gränser är väl genomtänkta om inte barnen kan förstå var de går. Nästa uppgift blir därför att utplacera tydliga markörer, så att barnen kan vara säkra på var det går att navigera fritt. Behovet av detta slags markeringar, och det sätt på vilka de läggs ut, varierar mycket beroende på barnens ålder. Låt oss ta några exempel hämtade från olika åldersskikt.

Det är fullt möjligt, utan att för den skull vara alldeles nödvändigt, att få barn att hålla sig till gränser redan innan de fyllt ett år. Så snart en del småbarn lärt sig gå, börjar de hemsöka blomkrukorna där hemma och krafsa upp jorden. Somliga gör det med så stor iver och målmedvetenhet, att man på sina håll har spekulerat i om inte ett slags jordbrukarinstinkt ger sig till känna i denna ålder. Många föräldrar väljer i det skedet att hissa upp alla plantor närmare himlen i några månader. Andra kanske inte har den möjligheten, eller de ser det som ett gyllene tillfälle att lära barnet att hålla sig därifrån.

Om du nu har bestämt dig för att sätta en sådan gräns, måste du först bemöda dig om att göra den tydlig. Var gång barnet sätter kurs mot blomkrukan, kan du påkalla barnets uppmärksamhet genom att ropa dess namn eller genom att låta på ett visst sätt. På så vis distraheras barnet och riktar uppmärksamheten mot dig i stället för mot krukan. Därefter händer den ena av två möjliga saker: Antingen fortsätter barnet mot blomkrukan eller också ändrar det kurs och kryper åt ett annat håll. Inträffar det förra, kan du till exempel lyfta upp barnet och bära bort det till fönstret och kommentera något som sker där utanför. Tänk om ni får syn på en hund tillsammans? En hund! Nu finns det inte längre plats för någon blomkruka i det lilla huvudet. Förr kallades detta för att *avleda* barnet, idag säger vi att vi *ger barnet ett annat erbjudande*. Om barnet däremot styr bort från blomkrukan, kan en lämplig reaktion från din

73

sida vara att ge det en klapp på huvudet med en bekräftande kommentar, tacksam över att blommorna överlevt ännu en gång.

Detta mönster upprepas varje gång barnet försöker närma sig blommorna. Signalen får barnet att stanna upp och hjälper det dessutom att sätta situation och reaktion i ett inbördes sammanhang. Den erfarenhet som det lilla barnet gör är att det visserligen aldrig kommer åt att krafsa i jorden, men att det i gengäld uppnår något genom att hålla sig borta från krukan.

Nu är det ingalunda meningen att uppfostran ska övergå i något slags dressyr. Att sätta gränser med visslingar kan te sig en smula besynnerligt. På sätt och vis gränsar det till ren och skär manipulation om det omedvetna barnet styrs genom distraktion och belöning. Poängen med vårt exempel är bara att visa att det *går* att dra en gräns och få barnet att hålla sig till den. Men villkoret för att barnet ska upptäcka var gränsen går, är att vi ger det *någon form av signal* att förhålla sig till och att det uppfattar vår *reaktion*.

Å andra sidan är det ingen enkel match att argumentera med ett barn som ännu inte lärt sig tala. Även när det gäller äldre barn, inbillar vi oss ibland att de lärt sig var gränsen går bara för att vi har förklarat det med ord. En mamma hade en gång gett sin två och ett halvt år gamla pojke en allvarlig förmaning och berättade att hela proceduren fick följande lite snöpliga slut:

Mamman: *Och så måste du lova att aldrig göra så igen. Kan vi skaka hand på det?*
Pojken (sträcker fram handen): *Tack för maten!*

74

Om vi vinnlägger oss om att sätta ord på det vi gör tillsammans med barnen, underlättar vi i hög grad för dem att tillägna sig språket. Men vi kan för den skull inte utgå ifrån att barnen kan styra sitt eget beteende med hjälp av endast ord. Att mammor lyckas etablera mönster och rutiner för spädbarn i samband med amningen, visar ju klart och tydligt att vissa gränser kan göras fullt synliga för barnet med hjälp av signaler och reaktioner, även långt innan barnet självt lärt sig tala.

En mamma, som också arbetade som småbarnspedagog, sade en gång mycket träffande:

När barnen är mellan två och tre år gamla, då gäller det!

Hon menade att de vuxna måste vara mycket mer uppmärksamma då än under någon annan period av barnets uppväxt. Barnet har då tillägnat sig en vid aktionsradie, men har ännu mycket ringa erfarenhet av vad olika handlingar kan leda till. Barnet är handlingskraftigt, men oförmöget att ta ansvar för sina handlingar. Då ligger det ansvaret på oss! Så länge barnen är mindre än tre år, kan en betydande del av vår gränssättning bestå i att ligga "ett steg före barnet". När vi ser att barnet håller på att styra rakt ut på osäkert vatten, kan vi lotsa över det i en tryggare farled.

När barnen blivit fyra eller fem år gamla, kan vi träffa avtal med dem eller ingå kontrakt rörande deras beteende. På dagis är det till exempel inte ovanligt med regler som säger att barnen inte får springa inomhus. Regeln grundar sig med rätta på att någon kan komma till skada eller få ont på annat sätt. Men även om denna regel både läses upp och högtidligen antas, behöver man inte vara en snabbtänkt pedagog för att ana när barnens lek håller på att skruvas upp så till den milda grad att den snart kommer att övergå i allmänt springande. Det sämsta man kan göra vid sådana tillfällen är att smyga sig bakom hörnet för att sedan slå ner på den första sprintern och ropa:

Den vuxne (triumferande): *Jaså! Du sprang inomhus, inte sant?*
Barnet (förvirrad): *Åh ... jag tänkte inte på det ...*
Den vuxne (ännu mer triumferande): *Aha – du tänkte inte ens på det!* (Dubbelt tagen på bar gärning!)

Här måste någon ta barnet i försvar. Småbarns mentala kapacitet rymmer ofta inte mer än ett perspektiv i sänder. När barn går upp i leken med hull och hår, finns det helt enkelt inte plats för så många andra tankar. Skolbarn har lättare att hålla flera saker i minnet samtidigt som de leker. Det har säkert de flesta vuxna redan förstått. Om inte annat så när de sett en femåring och en nioåring leka kurragömma tillsammans. När femåringen just har hittat nioåringen i ett skåp och det är nioåringens tur att leta – var tror du då att femåringen gömmer sig? Just det, i samma skåp. Och hon blir naturligtvis alldeles hänförd över att bli hittad på samma ställe. För att nioåringen ska bli lika begeistrad, krävs en god portion social mognad och inlevelse!

Detta illustrerar att det för ett småbarn kan vara helt naturligt att se en situation ur endast *ett perspektiv*: I skåpet är det spännande att gömma sig (precis lika spännande som när den äldre flickan också gömde sig där). Skolbarnet, däremot, är i stånd till att värdera gömställets lämplighet från *två perspektiv* samtidigt: Stället är helt riktigt lämpligt som gömställe, men dessvärre också olämpligt eftersom det redan är känt för den som ska leta. Så länge barnen befinner sig i småbarnsåldern, får vi räkna med att de går så helt upp i leken att det upptar merparten av deras tankeverksamhet. Regeln, som sade att man inte får springa inomhus, är därför plötsligt fullkomligt bortglömd. Och den koms inte ihåg igen förrän vi bryskt påminner om den, först efter det att gränsen redan överträtts. Det är alltså fara värt att vi behandlar barnen som om de medvetet valt att göra något galet, när de egentligen inte har träffat något val över huvud taget.

Hur skulle vi ha uppträtt då? Ja, så snart vi anade att femåringen lagt sig i startblocken, hade vi kunnat lägga ut en enda, enkel markör:

Ojoj! Vi glömmer väl inte springregeln, va?

Därmed aktualiseras regeln i medvetandet igen, och därmed kan de också förhålla sig till gränsen. Och skulle de till och med klara av att hålla fast vid den, får vi naturligtvis en möjlighet att bekräfta beteendet i positiv riktning:

Bra! Ni kom ihåg att vi inte får springa inomhus!

Skulle barnen däremot välja att bryta mot regeln, så gör de det åtminstone medvetet och med vilje. Då kan de räkna med en reaktion från de vuxna.

Gränssättning handlar till syvende och sist om att lära barnen att välja det goda framför det felaktiga. Det förutsätter emellertid att de är i stånd till att bedöma och utvärdera två konkurrerande möjligheter. Därför är det orätt att behandla barnet som om det hade valt det felaktiga, då de ju i själva verket inte har valt över huvud taget. Om det finns en möjlighet till det, bör vi alltså undvika att genast skälla ut barnen eller komma med andra negativa sanktioner när de står i begrepp att göra något fel. Bättre då att påminna dem om gränsen än en gång. Var storsinta. *Ge barnen en chans att välja det goda!*

Hur reagerar du när barnet överträder gränsen?

Även om vi noga tänkt igenom de gränser vi anser oss kunna stå för, och till och med har ansträngt oss för att göra dessa gränser både tydliga och begripliga för barnet, är det inte givet att barnen lyckas göra dem till sina egna. Hur reagerar vi då på deras beteende?

Låt oss börja med ett lite dramatiskt exempel: ett raserianfall. Som tidigare nämnts, börjar barnens egenvilja att göra sig gällande redan från ettårsåldern. I takt med att de sedan närmar sig treårsåldern, blir det ständigt allt viktigare för dem att uppträda självständigt, eller autonomt. Många föräldrar upplever att barnen nu når sin första trotsålder.

Därmed kan barnen dessvärre råka i konflikt med de vuxna – som besitter minst lika mycket egen vilja. Det ligger i sakens natur att barnen av den anledningen tvingas utstå en del nederlag, vilket lätt ger upphov till en viss frustration. Utforskande som barn är, kan det hända att de försöker sätta kraft bakom frustrationen med ett verkligt raseri, i hopp om att detta ska bidra till att de får sin vilja igenom. Låt säga att din treåring de senaste veckorna upprepade gånger har blivit komplett omedgörlig och bara lagt sig ner på golvet och skrikit i högan sky. Själv tycker du inte att detta är trevligt för någon av er, så hur ska du bära dig åt för att rama in beteendet? Vi minns de tre typer av förstärkning som vi diskuterade tidigare. Negativ förstärkning skulle vi helst undvika. Straff eller hot om straff skulle i denna situation till exempel kunna vara följande:

Ja, skrik du bara – jag kan ju alltid stänga in dig i klädkammaren! (eller något annat pedagogiskt knep som du i hast klurar ut).

Det är inte heller särskilt svårt att föreställa sig vilken verkan det kan ha om du viker dig för barnets raseri:

Nej, nu orkar jag inte med ditt skrik längre! Okej, ta skorna i stället för stövlarna då!

Från barnets synpunkt blir ju detta ett slags belöning för uppförandet, och sett med allmänna, inlärningsteoretiska ögon kan du helt enkelt räkna med att få många repriser på händelsen. Sålunda står vi än en gång kvar med nollförstärkningens alternativ.

Om du först och främst har bestämt dig för att du vill göra något åt raseriutbrotten, måste du nu sätta av litet tid och se till att du har möjlighet att följa upp ditt beslut. Nästa gång saken inträffar, ska du varken skälla ut barnet eller envisas med att förlåta det (–). Lika litet ska du ge barnet anledning att tro att det faktiskt kan uppnå något med sitt uppförande (+). Ta fram en stol i stället och sätt dig bredvid barnet. I en så neutral ton som möjligt kan du sedan ge barnet återspegling, till exempel så här:

Du förstår, så här kan vi inte ha det.
(och/eller)
Jag kommer inte att göra som du säger bara för att du bär dig åt på det där viset.
(och/eller)
Det där leder ingenvart, vännen min!

Arten av din återspegling kan varieras eller upprepas från gång till annan. Poängen är att göra det mycket tydligt för barnet att det faktiskt inte kommer att uppnå någonting med sitt beteende (0) och att du inte tänker ge efter.

Förr eller senare (och det blir förmodligen "senare" än den första gången ...) kommer raseriutbrotten att bedarra. Ett bra knep kan vara att titta på klockan innan du sätter igång. Femton minuters idogt skrikande kan få vem som helst att ge upp de allra bästa intentioner. Notera hur lång tid det tog innan allt ebbade ut. När barnet kommit till sans igen, står vi inför den kanske allra största pedagogiska utmaningen, för nu är det vårt eget tålamod som sätts på prov. Och då ska det helst inte låta så här:

Fattar du hur länge du har skrikit!? Tjugo minuter! Nu ska du i alla fall höra på mig i två minuter! (Och så kommer avhyvlingen.)

Vi har visserligen kommit till slutet av vår nollförstärkning, men detta är inte rätta tidpunkten för en negativ sanktion. Nyckeln är tvärtom att gå in med en positiv förstärkning!

Nu är vi äntligen färdiga med det här. Det var ju inte särskilt trevligt för vare sig dig eller mig. Men du lyckades sluta skrika, och det tycker jag var riktigt bra gjort! Och vet du – eftersom du klarade det, ska vi två göra något extra roligt idag!

Om hela beteendet tett sig som ett allvarligt problem, kan du slå till med en rejäl belöning här, till och med en materiell sådan (och vi är ense om att detta utgör ett undantag från vad vi tidigare sade om belöning generellt). Du kan till exempel föreslå att ni ska grädda våfflor.

Några få dagar senare kommer så ett nytt raseriutbrott. Du tar fram stolen och säger:

De orden har barnet hört förut (*she means business!*), och du kan förnöjt lägga märke till att raseriutbrottet bara varar sex minuter denna gång. Men även nu kommer du med en positiv reaktion:

Bra! Det visar ju att du kan sluta skrika om du bara vill! Och eftersom du klarade det så fint, ska vi göra något extra roligt idag också!

Belöningen kan bestå i att ni ser en video tillsammans eller gör något annat som du vet att barnet uppskattar och lägger märke till. (Många föräldrar kanske redan anar ugglor i mossen och ser framför sig en liten slug person som framgent kommer att vända det föreslagna upplägget till egen fördel, genom att först fingera ett raseriutbrott och därefter, när det upphör, bärga en nätt liten vinst. De föräldrarna kan lugnas med att de tämligen säkert kommer att kunna skilja mellan ett äkta raseri, utifrån äkta frustration, och ett låtsat anfall med krokodiltårar.)

Det heter att man ska smida medan järnet är varmt. Det gäller även här, fast med det lilla tillägget att man måste smida järnet i bägge ändar samtidigt. Å ena sidan använder du nollförstärkningen till att göra det tydligt för barnet att det inte uppnår någonting med sitt oönskade beteende. Du försöker alltså att tona ner det problematiska uppförandet genom att se till att det verkligen inte leder någonvart. I andra änden skjuter du dessutom till en positiv förstärkning, så snart barnet behärskar sitt beteende. Du lockar fram det motsatta uppförandet (även om du inte kommer så långt den första gången), genom att reagera på ett vänligt sätt. Du håller således fram två ramar som barnet kan förhålla sig till. Nu ska inte detta uppfattas som att barn inte har rätt att brusa upp. Det kan vara mycket bra att få utlopp för sin ilska, och vi vuxna ska inte försöka trolla bort sådana sunda reaktioner hos ett barn. Men om det urartar till ofta förekommande, ihållande utbrott, kan det vara bra för bägge parter att ge ramar åt beteendet.

Det går att tillämpa snarlika reaktionsmönster på andra, mindre dramatiska situationer. Vi tänker oss att familjen just har ätit middag, och du slår dig ner med tidningen och en efterlängtad kaffekopp. I samma stund ryker storasyster och lillebror ihop i barnkammaren. Du ställer ifrån dig kaffekoppen, lägger undan tidningen och dundrar in i rummet:

Är det konstigt att det är krig i världen när inte ens två syskon kan hålla sams!

Barnen visar sig vara helt ocmottagliga för detta och sätter fingrarna i öronen. Du rycker ut dem och insisterar på att nu ska de minsann lyssna! Vad som kännetecknar denna form av kommunikation är alltså en förbannad avsändare, ett negativt budskap och två mottagare som vägrar att lyssna på vad som sägs.

Men antag nu att det en annan gång artar sig till rena idyllen efter middagen. Storasyster är inte bara tolerant mot lillebror, utan rentav så tillmötesgående att hon låter honom låna hennes älsklingsdocka. Vad gör du då?

Ahhh! Härligt att äntligen få dricka sitt kaffe i lugn och ro för en gångs skull ...

Men det var just en sådan här gång du hade kunnat få in en viktig poäng. Du kunde ha öppnat dörren till barnkammaren och sagt:

Vad är det jag ser? Tänk att du kan vara en så underbar flicka! Jag blir alldeles rörd när jag ser hur bra ni kan ha det ihop! Lillebror är allt lyckligt lottad som har en så fin storasyster!

Detta är ett vänligt budskap från en rörd avsändare till en lyhörd mottagare! Finns det något barn hör bättre än att de *kan* något, eller att de klarar något *bättre* än förut? Har du någon gång sett ett barn som just lärt sig cykla? De små benen vevar så energiskt att man kunde tro att hela ekipaget när som helst ska flyga till väders! Motivationen till att lära sig bemästra det ena eller det andra är mycket stor hos barn.

Gemensamt för de två exemplen med raserianfallet och syskonbråket är att en gräns förs in från två håll. En gräns har ju alltid två sidor, och ett barn befinner sig ofrånkomligen på den ena eller den andra sidan om gränsen vid en given tidpunkt. Vi kan ge ramar åt såväl negativa som positiva beteenden. Men av det vi tidigare sagt om den negativa och den positiva förstärkningen framgår att det inte råder några tvivel om vilken sorts återspegling som är optimal för inlärningen. Och det är inte svårt att förstå vilken sorts förstärkning som gynnar barnets självbild bäst.

Småbarnsföräldrar har ett stort ansvar och ofta betungande arbetsuppgifter, vilket gör att både tiden och möjligheterna till rätt sorts omsorg blir knappa. Därför är det inte konstigt att de ibland tvingas spara på sina krafter. De kan inte finnas till hands eller gripa in i varje stund. Men när något går *snett*, då *måste* vi ingripa likafullt. Detta kan i olyckliga fall liksom per automatik leda till att vi bara markerar gränser för barnen när det hela gått för långt och situationen blivit otrevlig – med en förorättad, irriterad vuxen och ett försummat barn. Om det mönstret får utvecklas till normen, hamnar själva gränssättningen i en ond cirkel: *riscirkeln*.

Om vi däremot bemödar oss om att fundera över vilka gränser vi tycker det är viktigt att barnen verkligen tar till sig, är det lättare att markera dem också när barnet befinner sig på rätta sidan av dem. Då kommer gränssättningen att uppfattas som positiv och kan genomföras med positiva medel, så att vi hamnar i en god cirkel: *roscirkeln*. En enkel sammanfattning skulle alltså kunna lyda som så: Mindre skäll och mer beröm! Utmaningen för oss vuxna är hur vi ska kunna använda flera sidor av oss själva när vi sätter gränser.

Därmed har vi behandlat alla de tre frågor som ställdes i inledningen till detta kapitel. Vi har sett hur viktigt det är att tänka igenom vilka gränser vi önskar sätta; vi har sett att barn kan behöva hjälp med att förhålla sig till gränserna; och vi har sett hur vi själva kan reagera på barnen i förhållande till gränserna.

Avslutningsvis ska vi nu titta närmare på några argument *mot* gränssättning. Somliga föräldrar drar sig för att sätta gränser, därför att de inte vill uppträda på ett förtryckande sätt. Andra anser att barnen själva ska få bestämma. Och åter andra vänder sig mot att gränssättning görs till ett mått på hur bra man är som mamma eller pappa. I det följande ska vi emellertid se att det går att sätta gränser utan att undertrycka en viss aktivitet, utan att frånta barnen medbestämmanderätten och utan att göra gränssättningen till A och O i uppfostran.

Kanalisera – inte undertrycka

Av hävd har man sett gränssättning som en fråga om att *hindra barn från att göra något skadligt*. I den här boken har vi i stället valt en annan syn på gränssättning, nämligen som att *ge ramar åt barns beteende*, så att det blir tydligt för dem huruvida beteendet är önskvärt eller icke önskvärt. Att ge ramar åt en aktivitet kan också innebära att man tydliggör *när* eller *var* aktiviteten är på sin plats, respektive när eller var den inte lämpar sig. Somliga kanske uppfattar gränssättning som ett sätt att "lägga locket på" ett beteende. Men att ge ramar behöver inte nödvändigtvis betyda att man undertrycker beteendet i sin helhet, det kan också innebära att man kanaliserar det till lämplig plats eller tidpunkt.

Några exempel kan förklara detta. En pojke på tre år fick under middagen plötsligt för sig att han skulle hälla vatten ur ett glas i ett annat. Han var rätt skicklig och spillde nästan inte alls, men föräldrarna var ändå måttligt roade av att detta skulle pågå just vid matbordet. Pappan såg emellertid hur glädjen strålade i pojkens ögon, så han föreslog att de skulle fortsätta med experimentet i badkaret senare under kvällen. Så snart pojken satt i badet, kom pappan med tjusiga plastkoppar i alla möjliga färger och pojken fick hälla ur den ena i den andra så mycket han ville. När pojken försökte sig på samma roliga lek vid matbordet några dagar senare, blev beskedet ganska barskt: Nej, sådant sysslar vi inte med vid matbordet, det är sådant som hör badlivet till. Där var det ju faktiskt också mycket roligare, så det stod inte på förrän problemen vid middagsbordet var över.

Ett annat exempel: Personalen på ett daghem irriterade sig på att en grupp fyraåringar börjat klirra och slamra med glas och bestick under måltiderna. Fler och fler av de andra barnen hakade på med stigande entusiasm. I stället för att förbjuda denna aktivitet valde personalen nu att skapa ett utrymme för den – den gavs ett helt eget utrymme under dagen och kallades för ljudmålning. Glas och bestick ställdes fram, och barnen uppmuntrades att experimentera med olika ljudbilder, till exempel som ackompanjemang till en känd melodi eller som ljudkulisser till en berättelse. Samtidigt vann personalen gehör för att detta beteende inte kunde förekomma vid måltiden utan var något man kunde roa sig med och utforska under mer passande omständigheter. Man satte alltså en gräns, men man undertryckte inte aktiviteten utan såg till att kanalisera den.

Ännu ett exempel: En mor klagade över att hennes nioåriga dotter var väldigt besvärlig, därför att hon aldrig kunde bestämma sig för hur hon skulle klä sig på morgonen. Följden blev att de alltid fick ont om tid och en massa käbbel om klädseln. Mamman önskade förståeligt nog få ett slut på detta. Själva intresset för kläder gick väl an, men då vid en annan tid på dagen. Mamman fick rådet att rigga för cat-walken på eftermiddagen i stället, och då lät hon dottern inte bara pröva alla möjliga klädkombinationer, utan deltog också själv med stort engagemang.

Den var väl läcker! Tror du den skulle passa ihop med de här byxorna?

På så vis fick flickan utlopp för sitt intresse så mycket hon ville, och dessutom några klädtips inför morgondagen. Mammans gränssättning gick alltså ut på att ge andra och nya ramar för dotterns beteende.

Det betyder att vi vuxna i sådana här situationer har utmärkta tillfällen att visa prov på kreativitet. Men det förutsätter att vi slutar att tänka så här:

Ungen måste väl ändå fatta att hon inte kan hålla på så där!

I stället ska vi fråga oss själva:

Finns det någon annan plats där hon kan hålla på med det där?

När ska vi säga att det är okej att syssla med det där, och när inte?

Detta är också ett sätt att rama in eller, om man så vill, sätta gränser för ett beteende. Det är betydligt smidigare och har bättre utsikter att göra alla inblandade nöjda och glada.

Ska du eller barnet välja?

Den auktoritära uppfostran var långt mindre problematisk för forna tiders *pater familias* än den är för dagens, vilket också ledde till att många barn blev ordentligt kuvade. Som moderna föräldrar vill vi gärna uppträda mer demokratiskt gentemot våra barn, men även detta kan gå till överdrift, särskilt om det på så vis blir oklart vem som bestämmer vad.

Vi kan ta en konkret situation som exempel. Det är iskallt ute en morgon, men som den varma anhängare av medbestämmanderätten du är, frågar du likväl:

Vill du ha mössan på dig idag, Olle?

Säg nu att pojken svarar "nej". Då har du skaffat dig problem. Till synes demokratiskt har du överlåtit åt lille Olle att fatta ett viktigt beslut. Men när det kommer till kritan är du inte beredd att respektera pojkens val, för såvitt han inte väljer det du menar att han bör välja!

Vi måste inse att barn inte alltid vet sitt eget bästa. Som föräldrar är vi därför tvungna att allt som oftast fatta beslut *å barnens vägnar*, och då är det inte särskilt klokt att öppna de frågorna för diskussion. Ett mera framgångsrikt tillvägagångssätt i vårt exempel hade varit att från början slå fast vissa ramar, till exempel:

Idag är det mössväder, Olle!

89

Det betyder nu inte att Olle helt ska sakna inflytande. Inom de ramar du föreslagit kan du strax lämna utrymme för ett val. En klassiker är denna:

Vill du ha den blå eller den gröna mössan?

Eller:

Kan du leta rätt på en mössa du vill ha på dig idag?

Poängen här är att skilja mellan olika beslutsnivåer. Som ansvarig för barnet måste du ibland låta vissa krav stå oemotsagda på en överordnad nivå, men när dessa ramar en gång givits ska du kunna godta olika varianter eller lösningar *inom* de ramarna.

Barn kan reagera ganska häftigt på att man bestämmer över dem. Det är inte särskilt fruktbart att framställa saken som att antingen bestämmer vi eller så bestämmer de. I det förra fallet uppträder vi så auktoritärt att barnen blir frustrerade, i det senare så demokratiskt att barnen blir förvirrade. Smidigast är att låta bägge parter ha inflytande. I somliga frågor kan vi emellertid inte utan vidare svära oss fria från vårt ansvar som föräldrar. Då måste vi fatta vissa överordnade beslut innan vi kan öppna dörren för barnets medbestämmande, på områden där deras val också kommer att respekteras.

Fast detta tillvägagångssätt får inte heller missbrukas. Man ska undvika att erbjuda barnet valmöjligheter på ett sådant sätt att det egentligen inte förstår vad det handlar om. Om du frågar tvååringen:

Vill du klä av dig i badrummet eller på ditt rum?

Då har barnet endast *skenbart* fått en valmöjlighet, för oavsett vad det väljer måste det strax gå och lägga sig. Om de överordnade premisserna inte är klara och tydliga, kan ett sådant sätt att ställa frågan fungera manipulativt på barnet. Och då har vi inte gjort en så tydlig skillnad mellan vad som är vårt eget avgörande och vad som är barnens ansvar, att barnet kan fatta sina beslut utifrån den skillnaden.

Finns det gränser för gränssättningen?

Gränssättning är ett mycket snävare begrepp än uppfostran. Annorlunda uttryckt: Uppfostran är så mycket mer än bara gränssättning. Visst gör vi barnen en björntjänst om vi underlåter att lära dem att det finns gränser för hur människor får bete sig med eller mot varandra. Men därav följer ingalunda att de vuxna ska bestämma över barnens beteende i alla detaljer. Barnen måste få fungera som ett slags "premissleverantörer" och komma med olika alternativ till hur familjelivet ska levas. Och självfallet måste vi ta hänsyn till att också barnen har sina gränser, som vi aldrig får kränka.

Vi sade att gränssättning är en övning i medmänsklighet. Men barn lär sig mycket om medmänsklighet *utan* att vi för den skull behöver sätta gränser. De kan också lära sig medmänsklighet genom *imitation*. Vi vuxna framstår som rollmodeller för dem. Om vi, genom vårt eget uppträdande, visar att vi kan åsidosätta våra egna behov och ta hän-

91

syn till andra, kommer barnen att lära sig det genom att efterlikna oss. Medmänsklighet kan också läras genom *identifikation*, det vill säga genom barnets önskan att en gång bli som vi. (Passa på! Det här varar blott en kort tid!)

Lillen: *När jag blir stor, vill jag bli som du, pappa!*
Pappan: *Vet du, det var antagligen den smartaste idé du någonsin haft! Men om du ska bli som jag, förstår du, då måste du ...*

Det kan hända att barn bestämmer sig för att uppträda på ett visst sätt av den enkla anledningen att de gillar den modell eller förebild vi representerar. Formler som *Oss killar emellan* kan faktiskt vara synnerligen effektiva!

I det här kapitlet har vi behandlat tre konkreta frågor som vi kan ha nytta av att ställa till oss själva när vi är osäkra på gränssättningen. De kan vara bra att ha till hands *när det uppstått ett problematiskt beteende* hos barnet, som vi önskar göra något åt och som inte andra uppfostringsmetoder rår på. Ibland kan det behövas vissa konkreta tekniker för att ge ramar åt problematiska beteenden, men gränssättandet får inte bli vår generella hållning till barnen. Nästan allt vi säger och gör lär barnet något om medmänsklighet. Det finns alltså gränser för allt – även för gränssättning!

5 Gränssättningen börjar hemma

Barn är, precis som sina föräldrar, mycket olika sinsemellan, vilket gör att samspelet mellan barn och föräldrar kan ta sig vitt skilda former och uttryck. Somliga barn har en personlighet eller ett temperament som gör det lätt för den vuxne att vara en god förälder. Andra barn kan vara mer krävande och ställa mamman och pappan inför helt andra utmaningar. Av det skälet innebär också gränssättning helt olika saker i olika hem världen över, och det är svårt att få alla föräldrar att känna igen sig i de få exempel vi har plats för mellan pärmarna i denna bok.

I det här kapitlet ska vi emellertid belysa gränssättandet utifrån vissa konkreta situationer som olika föräldrar haft erfarenhet av. Det rör sig alltså inte om några slags standardproblem eller standardlösningar. Den övergripande hypotesen för denna bok är att barnets självkontroll och självstyrning i mångt och mycket har sina rötter i den vuxnes kontroll och styrning av barnet. Eller annorlunda uttryckt: De ramar en individ gör till sina egna har till stor del sitt ursprung i de sociala ramar inom vilka barnet i ett tidigt skede växte upp. Följaktligen läggs tonvikten på olika situationer som kan uppstå inom *familjens hägn*.

Förhoppningsvis ska läsaren, trots alla skillnader familjer emellan, ändå känna igen sig i denna beskrivning

93

och kanske rentav kunna se samspelet mellan barn och vuxna med nya ögon. Vår gränssättning syftar till att stödja barnet i dess utveckling. Men även vi vuxna måste utvecklas i vårt sätt att sätta gränser. För barn är det välgörande med en återspegling som bekräftar att de kan eller behärskar det ena eller det andra. På samma sätt gör det oss föräldrar mycket gott att få känna att vi faktiskt räcker till. Gränssättning är inte alltid lätt, men det är samtidigt ett villkor för det vidare växandet hos såväl barn som vuxna. Växandets problem och möjligheter har sitt ursprung i hemmiljön.

Natti-natti

Barn sover mycket under sitt första levnadsår och kan redan under denna period etablera ett sömnmönster som gör livet lättare för både dem och oss. Det innebär en lättnad för de allra flesta föräldrar om barnen sover gott på nätterna. Vi kanske inte ser det här som en fråga rörande gränssättning, men det går faktiskt att med gränser påverka barnets dygnsrytm i en mer hanterlig riktning. Många föräldrar har väl till exempel varit med om att barn, som sover middag till efter klockan fyra, kan ha svårt att somna på kvällen. Då kan en mild väckning tidigare på eftermiddagen bidra till att barnet sover bättre på natten.

Det har sagts att spädbarnets första sociala bedrift består i att det lyckas släppa den vuxna utom synhåll, utan att för den skull bli ängslig och rädd. Med tanke på att detta inte är någon helt enkel match för barnet är det bra

94

att lägga ner en god portion omsorg vid läggdags och se till att nattningen blir så förutsägbar som möjligt för barnet. Därför är det bra med vissa fasta rutiner. Många tycker om att sjunga för barnen innan de somnar. Men man ska tidigt göra det till en vana att inte sitta kvar hos barnet och hålla det i handen tills det somnar, eller sjunga det till sömns. Det är bättre att markera en avslutning, till exempel så här:

God natt, Ida, nu går mamma. Sov gott!

Sedan lämnar man rummet och låter barnet utföra det sista "insomningsarbetet" på egen hand. På så vis blir barnet inte beroende av att alltid ha dig till hands för att somna. Skulle barnet vakna under natten, har det också lättare för att somna om på egen hand. En varsam styrning från din sida kan alltså bidra till en bättre självstyrning hos barnet.

När barnen blir lite äldre, är det inte ovanligt att de vaknar nattetid. Det kan bero på att de börjat drömma och kanske blir överraskade av plötsliga inre bilder. För föräldern känns det naturligtvis angeläget att hålla om och trösta ett barn som gråter. Men om detta sker om och om igen varenda natt, börjar trösten lätt att fungera som en positiv förstärkning av gråtmönstret. Då kan du avvakta en stund innan du går in till barnet, för att se om det lyckas lugna sig självt. Men om du upplever att barnet verkligen behöver dig, ska du naturligtvis inte tveka att göra så som känns bäst.

Ännu lite högre upp i ålder kan barnen klättra ur sängen själva, och då kan tiden vara kommen för ett rätt van-

ligt fenomen, nämligen nattliga återföreningar i föräldra-
sängen. Om detta är ett problem eller ej avgör du själv.
Somliga tycker att det är rätt trevligt:

Är det inte gulligt med de små benen rätt i ansiktet!

I vissa kulturer skulle man inte tro sina öron om man fick
höra att spädbarn i Sverige har eget sovrum. Det normala
där är tvärtom att barnen sover hos föräldrarna så länge
de är små.

Men om du tycker det är jobbigt att ha barn i sängen,
eller om du inte får den sömn du behöver, kan du rama in
det här beteendet. Det kan vara lämpligt att sätta grän-
sen på bortaplan först, det vill säga att du drar gränsen
vid barnets säng och inte i din egen. Det är viktigt att för-
vissa sig om att barnet är tryggt. Om barnet oroar sig för
mörkret, kan du alltid tända en liten lampa i barnkam-
maren som du sedan släcker när barnet somnat. Eller låt
dörren stå på glänt, eller ge barnet en liten ficklampa att
ha i sängen.

Om barnet behöver tröstas på nätterna, är det för den
skull inte nödvändigt att lyfta det ur sängen eller bära
över det till din egen säng. Föräldrarna kan för en tid tu-
ras om att sova på en madrass på golvet vid sidan om bar-
nets säng. Innan barnet vaknar helt eller reser sig ur säng-
en, kan du lugna det genom att lägga handen på barnets
panna eller rygg, eller genom att säga något lugnande.
Fördelen med detta är att barnet förknippar tryggheten
med sin egen säng och med sitt eget rum. Det kan krävas
en insats från föräldrarnas sida under några veckor innan
man har hittat tillbaka till ett fungerande sömnmönster

igen, men för många är detta att föredra framför en årslång kamp i dubbelsängen.

Skulle det likväl arta sig till upprepade nattliga visiter i föräldrarnas säng, kan man förlägga ramarna dit. Man kan till exempel bära tillbaka barnet till dess egen säng, när det väl somnat om. En mamma berättade en gång att en pytteliten dusch av hennes parfym på barnets huvudkudde hade gjort susen – barnet gäspade tungt en gång och somnade sedan in på direkten! Gentemot äldre barn kan man sätta upp vissa tidsramar för de nattliga besöken:

Klockan är inte sex ännu, du får komma in till mamma lite senare!

En pappa berättade att han tyckte dottern var så pass gammal och hennes nattbesök så besvärande att han undrade om det var dags för negativa sanktioner? En annan pappa föreslog att han skulle säga till dottern:

Om du envisas med att komma in till oss på nätterna, blir det ju aldrig någon lillasyster!

Om det uppstår problem i samband med läggdags, kan man, som en del föräldrar berättat att de gjort, pröva med att inrätta ett slags belöningssystem för barnet. Det kan till exempel gå ut på att man klistrar en guldstjärna eller en liten flagga på ett särskilt papper varje gång barnet lyckats lägga sig och somna på egen hand. Papperet kan man sedan hänga över barnets säng som en påminnelse om att det förr har klarat av situationen och som en motivation till att försöka göra det igen. När barnet fått ihop ett visst antal utmärkelser kan de lösas in mot en avtalad premie. Se bara till att ribban inte läggs högre än att barnet har åtminstone femtio procents chans att klara provet! Det betyder att ni fäster större vikt vid det som barnet klarar av än vid det som det ännu inte behärskar.

Välkommen till bords

Föräldrar bekymrar sig ofta för barnens uppförande vid middagsbordet. Somliga oroar sig för att barnen inte äter tillräckligt, andra tycker inte om att de petar i maten och väldigt många reagerar ifall barnen beter sig illa vid bordet. Därför blir måltiden lätt till en kamp. Näringsexperter kan emellertid trösta oss med att det är högst osannolikt att ett barns matvanor ska leda till undernäring i ett land som Sverige. Vi lever i ett samhälle där barnen får i sig vad de behöver och mer därtill. Proteiner och vitaminer behöver därför inte vara något problem vid bordet.

Men vi kan bli provocerade av att barnen säger att de inte gillar den mat vi serverar dem. Vi är många som fick lära oss som barn att sätta värde på all mat, och att det var en styggelse att kasta mat man försett sig med (eller som andra lagt på ens tallrik). Det är inte ovanligt att det kring bordet ingås kompromisser i stil med:

Men ät i alla fall upp hälften!
Du ska åtminstone smaka på allt!

En kollega berättade en gång att han mindes den rökta koljan som ett fasansfullt inslag på middagsmenyn. Det var knappt han fick ner den. Femton år efter det att han flyttat hemifrån, råkade han ut för den rökta koljan igen på middag hos ett par vänner. Han stålsatte sig, bestämde sig för att uppträda väluppfostrat och äta av den mat han serverades – och upptäckte till sin förskräckelse att det smakade gott! Hela sitt liv hade han varit bergsäker på att mamman ljög när hon smackade och menade att det var en mycket god fisk. Han var övertygad om att det bara varit fråga om försåtlig övertalningskonst. Nu förstod han att hon kanske talat sanning, men han tyckte fortfarande att hon borde ha förstått att han *också* talade sanning när han som barn sade att det smakade helt förfärligt.

Vi ska naturligtvis inte förbehållslöst ta de kräsmagade små barnen i försvar, men vi måste acceptera att deras smaklökar kan reagera annorlunda än våra. Att *vi* älskar vissa rätter, betyder inte att barnen är av samma mening. Och om ett barn på inga villkor vill äta sin potatis eller dricka sin mjölk, gör vi klokast i att förvissa oss om att det inte beror på någon form av fysiologisk intolerans mot födoämnet ifråga.

Föräldrarna bör göra klart för sig vad de finner viktigast vid måltiden. De kan till exempel fråga sig:

Hur viktigt är det för oss att barnet äter upp allt på tallriken?

Hur viktigt är det för oss att stämningen är god under måltiden?

Om vi inte kan få ihop båda dessa önskemål, vilket ska vi då prioritera?

Vilka ramar betyder mest för dig? Ska du låta barnet bestämma själv om han eller hon vill äta upp? Eller tänker du så här: Så länge barnen uppför sig skapligt vid bordet är det onödigt att fördärva stämningen genom att tjata om att de ska äta upp? Svårare blir det naturligtvis om barnet börjar uppträda direkt ohyfsat och bråkar eller kastar mat omkring sig. Då blir reaktionen lätt den följande:

Din slaskmaja! Nu är det marsch in på rummet, och där blir du kvar!

Om mamma eller pappa verkligen har ansträngt sig för att laga en god middag, känns det självfallet direkt förolämpande om ingen visar uppskattning. Reaktionen är därför begriplig, men kanske inte riktigt genomtänkt. För det första fokuserar man på något som man ogillar. För det andra utdelas ett villkorligt straff. Och för det tredje låter det som om beslutet är oåterkalleligt. Därmed har den vuxne också spelat bort ett antal bra kort som gränssättare. För det första hade man kunnat lägga större vikt vid frågan hur man uppför sig vid matbordet. För det andra hade man kunnat välja en typ av reaktion som tydligare underströk att bordsskicket inte respekterats. Och för det tredje hade det gått att föra in en möjlighet för barnet att komma på bättre tankar. Man hade alltså i stället kunnat säga som så:

Hör nu, Kristin, du vet ju att alla ska bidra till att det blir trevligt vid bordet. När du beter dig på det där viset, blir det inte trevligt för någon av oss. Så om du fortsätter med det, är det mycket bättre att du går in på ditt rum.

Först en varning, därefter ett eventuellt verkställande. Du ramar alltså först och främst in det beteende du inte finner önskvärt och signalerar tydligt att lilla Kristin håller på att träda över gränsen för det önskvärda. På så vis blir den eventuella sanktionen inte resultatet av en omedelbar, oöverlagd, impulsiv reaktion från den vuxnes sida, utan en logisk följd av de två föregående punkterna.

Om Kristin nu skulle försöka komma tillbaka till matbordet, kan hon möta olika reaktioner från oss. Vi kan fortsätta att klaga över hennes usla bordsskick och skriva henne på näsan att förvisningsbeslutet inte kan överklagas:

Jaså, din bråkstake! Tror du det är kul att ha dig här, eller?

Eller vi kan hålla dörren öppen för att hon faktiskt önskar uppföra sig annorlunda:

Vad bra att du tänkte om, Kristin. Det är mycket trevligare att ha dig här, så att vi kan äta tillsammans. Sätt dig nu, så går det säkert mycket bättre denna gång.

Ge barnet en chans till ett värdigt återtåg! Och om middagarna i Kristins sällskap under de närmast påföljande dagarna artar sig till riktigt gemytliga tillställningar, ska du självfallet inte underlåta att poängtera det.

Nej, alltså syskon!

Allt som har med gränssättning att göra kan bli ännu krångligare när det rör sig om syskon. Å ena sidan har vi de konflikter som kan uppstå syskonen emellan, å andra sidan gäller inte sällan olika gränser för olika syskon, vilket kan ge upphov till starka upplevelser av orättvisa. Kärlek och avund syskon emellan går hand i hand. Låt oss se hur det kan te sig för ett äldre barn när det kommer ett nyfött syskon, genom att jämföra med de vuxnas värld, så som författarna Mette Smith och Göran Åström framställer det i boken *Svartsjuk!*:

Han: *Hej, älskling! Nu kommer du allt att bli överraskad. Se här vem jag har med mig hem från krogen ... Annika!!!*
Hon: *Jaha ...?!?*
Han: *Ja, och jag är alldeles galen i henne, kan du tro. Hon ska flytta in här med oss för gott. Det betyder inte alls att jag tycker mindre om dig – tvärtom – och jag tror att vi alla tre ska få det så trevligt tillsammans – som en enda stor familj. Och tänk ett sånt sällskap för dig, när jag inte är hemma!*
Hon: *Men ...*
Han: *Fast vi får ju göra en del ändringar här hemma nu – för Annikas skull. Jag tror att vi låter dig flytta in i lilla rummet, eftersom jag gärna vill att Annika sover hos mig på nätterna – i alla fall till en början, när hon inte är så hemmastadd här. Den lilla sötnosen behöver mycket kärlek och omtanke, så att hon ska trivas riktigt bra hos oss. Vi får anstränga oss ordentligt, både du och jag. Och så vill ju Annika och jag ha lite tid för oss själva, så att vi kan lära känna varandra på allvar. Kanske du kan roa dig lite mer själv nu och inte hela tiden bara vara tillsammans med mig? Du har ju så många trevliga vänner ... Eller vad säger du?*

Hon: *Men snälla, varför...*

Han: *Jag kan inte förstå varför du ser så ledsen ut? Jag känner nästan inte igen dig! Det här är ju enbart för din skull. Jag trodde faktiskt att du skulle bli glad. Förresten är det bara nyttigt att lära sig dela med sig till andra; ensamhustrur blir så lätt bortskämda och besynnerliga. Skärp dig nu och var trevlig mot Annika!*

Vilken kvinna skulle inte vilja klösa ut ögonen på Annika? Kanske detta hjälper oss att förstå hur svårt det kan vara för ett litet barn – som hela sitt liv varit ensamt om föräldrarnas gunst och uppmärksamhet – att plötsligt bli tvungen att dela allt detta med en annan. Ja, nykomlingen får av en rad olika skäl rentav högsta prioritet. Det händer att det äldre syskonet plötsligt lägger sig till med babyspråk, spiller vid bordet eller kissar på sig på nätterna, egentligen bara för att konkurrera om uppmärksamheten.

Självklart är mindre barn mer omsorgskrävande, och de äldre syskonen kommer med rätta att uppleva att de själva kommer i andra hand ibland. Om nu detta resulterar i sämre uppförande hos storebror eller storasyster, är det inte säkert att lösningen ligger i fler eller strängare gränser. Då är det långt bättre att försöka få tid över till att vara ensam med det äldsta barnet ibland. Det kan vara en välbehövlig bekräftelse för bägge parter!

Även i senare skeden kan det uppstå rivalitet mellan syskon. Ibland är det bra om de får reda ut motsättningarna på egen hand, men många gånger måste vi själva erbjuda lösningar eller hjälpa dem att bilägga striden och avgränsa konflikten. Sådana händelser upplever barnen ofta på helt olika sätt, och deras beskrivningar av en och samma situation kan vara snart sagt oförenliga. För att veta vem du ska tro på, måste du i princip ha varit åsyna vittne till det hela. För det äldsta barnet kan det bli jobbigt om han eller hon liksom rutinmässigt lastas för alla skärmytslingar som bryter ut:

Du som är äldst måste ju ... (osv.)
Lillasyster kan väl ändå inte rå för att hon ... (osv.)

Småsyskon kan med tiden bli riktiga fenor på att provocera fram konflikter där de äldre barnen framstår som förövarna. I vissa situationer är det därför både viktigt och riktigt att ta äldre syskon i försvar.

Ibland sätter vi samma gränser för barn, oavsett ålder. Du kan till exempel säga klart ifrån att du inte går med på att konflikter löses med våld, oavsett om det är den äldre eller den yngre som är våldsam. Andra gånger – och detta är en svårare balansgång – tvingas du sätta olika gränser för olika åldrar. Man kan ju inte räkna med samma grad av självbehärskning hos yngre barn som hos äldre, till exempel. Men det kan de äldre barnen naturligtvis uppleva som direkt orättvist:

Jag fick ingen efterrätt för att jag spillde. Då ska inte Andreas heller ha någon, för han spillde ju mycket mer!

Mamma! Ingen säger något när Andreas grisar ner! Varför skäller ni då på mig när jag bara spiller lite grann?

Försök undvika att reagera med sådana kommentarer som innebär jämförelser mellan barnen, för annars kommer de äldre raskt att upptäcka att de hamnar i en ofördelaktig dager. Dessutom kommer de äldre under årens gång att märka att de yngre syskonen får gå och lägga sig senare, får mer i veckopeng samt en rad andra privilegier som de själva fått kämpa för och aldrig uppnådde lika tidigt. (Den enda trösten blir att de yngre syskonen får hålla till godo med ärvda kläder.) Om det uppstår frågor om olikheter, kan du eventuellt förklara dem med att en som är liten helt enkelt inte klarar av lika mycket som en som är större. En sådan jämförelse utfaller till det äldre syskonets favör, vilket också gör det lite lättare att vädja till hans eller hennes överseende:

Storebror: *Det är orättvist att Julie inte får skäll, mamma! Se bara hur hon spiller!*
Mamma: *Ja, Tomas, precis så åt du själv när du var liten. Men se hur fint du äter idag! Om vi lyckas uppmuntra Julie tillsammans, blir hon kanske lika duktig som du en vacker dag?*

Måste mamma och pappa alltid tycka likadant?

Många par upptäcker förr eller senare – i synnerhet sedan de blivit föräldrar – att de har olika uppfattning i frågor om barnuppfostran. De två föräldrarna ska skapa en ny familj, men har själva växt upp på var sitt håll i olika familjer och haft olika barndomsförhållanden. Som ung kanske man vände sig mot sina egna föräldrars uppfostran, och som vuxen märker man nu plötsligt att man tar sin barndoms familjekultur i försvar inför sin partner.

Det behöver emellertid inte nödvändigtvis ställa till problem att föräldrarna har olika syn på barndomen. Det är nämligen en fördel att barnen får se att föräldrarna är två olika personer. Ibland är det roligt att göra något med pappa, medan mamma å sin sida tycker det är roligare att göra andra saker. I slutänden ger detta barnet ett bredare register av sociala erfarenheter. Föräldrarna kan vara viktiga för sina barn på olika sätt och i olika faser. Båda två måste kunna tåla att deras popularitet hos barnen pendlar över tiden. Föräldrarna behöver inte från första stund gå in för att vara så lika varandra som det bara går. En modern pappa behöver inte vara en klonad kopia av mamman. Det bästa för barnet är att både mamma och pappa är sig själva!

Barn lär sig snabbt vad de får för mamma och vad de har lov till av pappa. De utvecklar på det hela taget ett utmärkt väderkorn för vilken av föräldrarna de ska vända sig till när de ska be om lov för det ena eller det andra. Men inte heller detta är nödvändigtvis ett ont. Att pojken ber pappan att de ska göra något ihop, kan vara helt i sin ordning för mamman.

Det är annorlunda om barnet försöker utnyttja sin kännedom om föräldrarnas olikheter till att spela ut dem mot varandra. Barnet vet att den ena kommer att gå med på det som barnet önskar, medan den andra kommer att neka. Och visst kan det hända att föräldrarna är oeniga på vissa punkter. Den ena tycker att man måste sätta en gräns, medan den andra finner det helt onödigt.

I exemplet ovan kan föräldrarnas ocnighet leda till att Henrik, i stället för att lära sig en enkel regel, lär sig att ingå olika strategiska allianser. I dylika situationer har mamman och pappan all nytta av att gemensamt diskutera problemet och försöka enas om vilken sorts uppförande de önskar se hos barnet, samt vilka beteenden de vill stävja. Därefter måste föräldrarna försoka sluta upp bakom denna strategi gemensamt och handla efter det som de har enats om.

Somliga föräldrar upplever det som ett problem att "pappa är snäll" medan "mamma är sträng". Här är det barnets egen värdering som ligger till grund för påståendet. Pappan kan vara mer överseende och se mellan fingrarna i en rad frågor, medan mamman kanske hetsar upp sig över småsaker. Om föräldrarna själva önskar ändra på detta, kan de alltid börja med att fråga sig i vilken utsträckning den enes hållning gör det nödvändigt för den andra att inta en helt annan hållning. Ju mer den ena tjatar, desto mindre behöver den andra tjata. Ju färre ramar den ena ger, desto fler tvingas den andra föra in. I sådana fall kan det vara lönt att diskutera *vilka* ramar som bör ges, snarare än *vem* som ska ge dem.

Ensamstående föräldrar

Det här är inte mindre angeläget ifall mamman och pappan har bestämt sig för att gå skilda vägar. Vid problem i förhållandet bör man vara noga med att inte tvinga barnen att ta ställning i konflikterna. Barnen är bundna till sina föräldrar och kan känna stark lojalitet mot båda. Lagen ger också barnen rätt till umgänge med bägge föräldrarna, även när föräldrarna bor på skilda håll. Utgångspunkten bör alltid vara att umgänget sker utifrån vad som är bäst för barnen. Men att välja den ena föräldern framför den andra kan vara en svår påfrestning för ett barn. Därför gör man klokt i att presentera alla sådana förändringar i regler och ordningar, som barnet naturligen kommer att möta allt eftersom det växer upp, som något som *båda* föräldrarna är ense om.

Även om föräldrarna flyttar isär, kan de ändå välja att fortsättningsvis ha ett gemensamt *föräldraansvar*. Då har bägge parterna både rätten och skyldigheten att fatta beslut å barnets vägnar – naturligtvis med utgångspunkt i barnets behov och intressen. Det här gäller alla möjliga frågor beträffande barnets uppfostran och skolgång, till exempel vilket daghem eller vilken skola man ska välja. Om barnet ska gå med i någon förening med särskild livsåskådning eller trosinriktning, bör bägge föräldrarna få möjligheten att ge sitt samtycke. Föräldrarna ska också kräva att få ta del av samma information från daghem och skola, och bägge har rätt att delta i föräldramöten och utvecklingssamtal.

Om föräldrarna är överens, kan de också ingå ett inbördes avtal om *daglig omsorg*. Antingen gemensam vårdnad, så att barnet bor halva tiden hos vardera föräldern, eller också genom att låta barnet bo stadigvarande hos den ena föräldern medan den andra ges umgängesrätt. Vad som är bäst för barnet kan bero på dess ålder eller på hur långt ifrån varandra föräldrarna valt att bo. Avtalet kan sedan ändras allt eftersom barnet blir äldre, eller därför att andra omständigheter förändras.

Avtal rörande föräldraansvar och daglig omsorg får naturligtvis en inverkan på hur mamman och pappan hädanefter ska sätta gränser för sitt barn. Den förälder som har barnet boende hos sig, antingen det är stadigvarande eller växelvis, får till exempel själv bestämma i frågor som rör påklädning, måltider och läggdags, utan att den andra kan komma med invändningar. Det är ofta en fördel om middagstider och läggningstider är relativt lika på ömse håll. Samordnade rutiner bäddar för trygghet och kontinuitet i barnets tillvaro, inte minst då barnet är mellan tre och sex år, vilket normalt är en gränstestande ålder.

Men när barnet flyttar mellan två skilda boenden, får det inte urarta till något slags tävling i vem som är den hyggligaste föräldern. Det är bra om bägge parter undviker att tala illa om varandra inför barnet, liksom det är värdefullt att föräldrarna kan komma överens om något mått av gemensamma ramar i frågor rörande barnets uppförande. På så vis kan den ena också själv stödja ett beslut som fattats av den andra. I alla händelser ska man undvika att förhandla fram regler och ordningar *genom barnen*:

Dottern hos pappan: *Mamma undrar om det är okej att ni byter nästa helg?*
Den frånskilda pappan: *Tänk att den kvinnan aldrig kan hålla ett avtal!*

Ensamstående föräldrar ställs hur som helst inför särskilda krav när det gäller gränssättning. De har sällan någon att diskutera olika strategier och förhållningsregler med, och där finns heller inte alltid en annan människa, redo att ta över, när man känner att man inte orkar mer. Konflikter med barnen kan därför få mycket större konsekvenser än annars, och det kan ta längre tid att återställa husfriden. Det medför ibland att man frestas ge efter för barnens önskemål för att bevara lugnet. Även om man egentligen skulle vilja vara konsekvent och hålla en rak linje, är det bara förståeligt att man i en tillspetsad situation hellre väljer det minsta motståndets väg som, när det kommer till kritan, inte alltid är just det minsta motståndets väg.

Gränssättning är, som vi sade tidigare, en övning i medmänsklighet. I familjer med endast en vuxen är det möjligen ännu angelägnare än annars att alla familjemedlemmar lär sig att ta hänsyn till varandra. Det ställer särskilda krav på en ensamstående mamma eller pappa, som ju verkligen står just ensamma. För barnens bästa måste därför både mamma och pappa försöka att hjälpa varandra. Parrelationen må ta slut, men föräldraskapet finns kvar. Glöm inte det!

Barnens kamp med de vuxna

Alla föräldrar upplever ibland att barnen sätter sig på tvären eller blir "helt omöjliga" i vissa situationer. Det kan vara synnerligen påfrestande för en mamma, om hon varje morgon tvingas utkämpa vilda duster för att få sin femåring att klä på sig.

Om det uppstår ett sådant besvärligt mönster, är det bra att fundera över om det verkligen är själva påklädningen som barnet opponerar sig mot – eller kanske påkläderskan? Barnet gör inte i främsta rummet motstånd mot kläderna, utan mot den som bestämmer att kläderna ska tas på. Att den vuxne argumenterar så sakligt som det bara går och barnet fortsätter att vara alldeles hopplöst, gör inte saken bättre. Från barnets synpunkt gäller striden inte förnuftsargument, utan det är själva förhållandet barn–vuxen som utmanas.

Den här typen av situationer kallas ibland för *fighterrelationen*. Vad den vuxna kan göra för att få ett slut på maktkampen är att helt sonika träda ut ur situationen och vägra att erbjuda sig själv som motståndare:

Nej, det här leder ingenvart, Mia. Nu får du bestämma själv vilka kläder du vill ha på dig, men om tio minuter måste vi iväg till dagis!

Den vuxna omdefinierar situationen och gör den till en fråga som endast gäller Mia och kläderna. Det angår inte längre den vuxna vad barnet har eller inte har på sig. Det blir upp till Mia att avgöra, men hon får också ta konsekvenserna av sitt val. Om Mia inte klätt på sig inom utsatt tid, då kan du som mamma alltid ringa till daghemmet och förbereda personalen på att det snart anländer en femåring i pyjamas med kläderna i en påse. Och så ger ni er iväg till dagis. Det kommer ofrånkomligen att väcka visst uppseende bland de andra barnen på avdelningen att Mia kommer i pyjamas. Kanske tycker femåringen rentav att det är lite tjusigt också? Eller att det är en smula jobbigt? Det kan ju barnet själv ta ställning till nästa gång hon bjuder in till kamp med den vuxna.

Insatsen består alltså i att träda tillbaka ur maktkampen och lägga över ansvaret på motståndaren. Men du måste vara beredd på att avblåsa aktionen så snart du märker att poängen har gått hem, eller när barnet visar att det dragit sig tillbaka till de ramar som utmärker ett ansvarsfullt beteende. Den vuxne ska heller inte vara så styvsint att han eller hon löper linan ut och nekar barnet att klä på sig innan de går iväg till dagis. Ett upplägg som det här bör heller inte iscensättas med barn yngre än fem år, eller med *något* barn över huvud taget om det finns en risk att barnet förödmjukas.

Är det farligt att ilskna till?

I ett tidigare kapitel redogjorde jag för olika tankar kring den positiva (+) respektive den negativa (–) förstärkningen. Jag påpekade i den vevan att det är bra att i första hand pröva med positiv förstärkning, både för att påverka barnets inlärning och för att ge barnet en god självbild. Man har frågat mig om detta betyder att föräldrar helst bör uppträda milt och vänligt i alla situationer, och om barn kan ta skada av att föräldrarna härsknar till? Att ge barnet omtänksam bekräftelse är inte detsamma som att i alla lägen uppträda som ett slags pedagogisk robot som uteslutande programmerats till att ge nollförstärkning eller positiv förstärkning. Autenticitet, alltså att uppträda med äkthet och uppriktighet, är viktigare än alla upptänkliga pedagogiska knep. Är du förbannad, så är du förbannad! Och då är det kanske bäst för både dig och barnet att du erkänner det. Situationen blir bara värre om du förnekar eller skyler över att du kokar inombords.

NEJ! MAMMA ÄR INTE ARG PÅ DIG, FÖRSTÅR DU!

Innehållet i vad mamman på bilden säger dementeras genast av det sätt hon säger det på. Mamman talar med kluven tunga, hon "dubbelkommunicerar", genom att sända ut två motstridiga budskap samtidigt. Då blir barnet osäkert på vad hon egentligen menar.

Men när allt har lugnat ner sig och du har fått en smula distans till vredesutbrottet, då återstår ett viktigt efterarbete, nämligen att förklara för ditt barn varför du blev arg:

Förstår du, Markus, när jag såg att du hade hällt nagellack på motorhuven, ja, då blev jag så arg att jag gormade och stod i!

Det är också bra om du kan knyta an din reaktion till något som barnet *har gjort* i stället för till vad barnet *är*. Det kan förefalla ovidkommande, men om du nu skulle gå upp i limningen för att din dotter drullar, är det två helt skilda saker att säga:

Åh, Emilie! Vilken drulle du är!
Eller:
Åh! Jag blir så irriterad när du drullar så där!

Det första går inte att försvara sig mot, för det siktar mot hela ens person, medan det andra syftar till ett beteende som barnet kan ändra på. Gör helst upp med barnet så nära händelsen i tiden som möjligt. Och se då till att få det hela utagerat! Undvik att dra ut på saken med kommentarer som:

Vänta du bara tills pappa kommer hem, då ska vi ta det här en gång till!
Eller:
Det blir inga barnprogram idag (fredag), eftersom du betedde dig så illa i tisdags!

Händelsen kan då ligga så långt tillbaka i tiden att barnet upplever straffet som en reaktion på hans eller hennes person, inte på händelsen i sig. Och hur mycket barn än hittar på och gör fel, ska det aldrig råda någon tvekan om att de är värda att älskas! Föräldrar ska absolut inte hålla tillbaka sin kärlek som något slags fostrande sanktion:

Nej, undan med dig! Jag tycker inte om dig när du gör så där!

Därför är det bra, när ni väl har gjort upp och saken är hyggligt utagerad, om du bekräftar för barnet att ert förhållande är bra igen (men självfallet bara när det känns rätt för dig, så att du verkligen står för vad du säger):

Ja, ja, nu är vi färdiga med det. Och du är i alla fall min lilla guldklimp, ska du veta!

När olyckan är framme

Någon gång råkar de allra flesta föräldrar ut för att barnen har sönder något, kanske av ren obetänksamhet. Ofta beror det faktiskt på att vi vuxna inte på förhand satt tydliga gränser. Men genom vårt sätt att reagera på olyckan ger vi likväl en ram och en mening åt det skedda. Hur pass omtänksamma klarar vi då av att vara? Låt mig illustrera problemet med en liten anekdot. En kväll sparkade några pojkar fotboll framför ett garage. En av portarna lämpade sig utmärkt som mål. Enda olägenheten var att det mellan portarna satt glaslampor. En riktig rökare gick dessvärre precis utanför krysset och träffade en lykta. Glas klirrade – en signal till omedelbar utrymning av garageplanen. En kort stund senare gick en vaktmästare omkring och sopade upp glasskärvorna.

Väl hemma valde den olycklige fotbollsspelaren inte desto mindre att berätta om händelsen för sin pappa – visserligen i litet svävande ordalag, men dock så pass tydligt att pappan fick ett klart intryck av att någon av glaslamporna nere vid parkeringsplatsen inte riktigt var i det skick den brukade vara. Nu var det alltså pappans tur att reagera. Han kunde till exempel ha sagt:

Det går då aldrig att lita på er, pojkar!
(eller)
Gör ni något annat än ofog, egentligen? Gå in på ditt rum!
(eller)
Okej, det blir avdrag på veckopengen i flera veckor framöver!

Och med tanke på vad som faktiskt inträffat, skulle pojken sannolikt ha funnit sig i denna reaktion. Men nu sade inte pappan så! Vad han sade var något helt annat, något som pojken kom att minnas ända upp i vuxen ålder:

Jaha ... ja, det var säkert inte lätt för dig att berätta om något så tråkigt. Men jag uppskattar verkligen att du säger som det är. Och det ska du veta: Ingenting kan bli så farligt mellan oss två att vi inte kan prata om det!

Låt oss nu se litet närmare på vad som egentligen hände. Fadern valde alltså att inte ta till vare sig utskällning, husarrest eller ekonomiska sanktioner. Det han fäste sig vid, mer än något annat, var att sonen talade sanning och att han i så måtto var att lita på. Eller, för att säga det med hjälp av några begrepp från tidigare kapitel: Det viktigaste är att vi kan hysa en grundläggande tillit till varandra, och det är alltid mödan värt att positivt förstärka det beteende som du vill uppmuntra till. (Och denna pappa hade aldrig studerat pedagogik!)

Det här utesluter emellertid inte att barnen kan bidra till att ställa allt tillrätta igen. I en andra fas kan ni därför diskutera hur barnet ska kunna gottgöra sitt misstag. Men vad hade pappan uppnått om han redan från första början hade siktat in sig på den ekonomiska sidan av missödet? I sonens öron hade budskapet i så fall lika gärna kunnat låta som så:

Kom inte och berätta om sådant för mig! Du vet ju att jag genast drar in veckopengen!

Därmed sanktioneras sonens uppriktighet negativt. Om sedan pojken i fortsättningen väljer att hålla tyst om allt som gått snett, kommer tigandet att bli positivt förstärkt eftersom han på så vis *undgår* den ekonomiska sanktionen. Vare sig pappan förstår det eller ej, så är det alltid i sonens huvud som inlärningen äger rum.

117

Att be om ursäkt

Detta avsnitt ska vi inleda med ytterligare en liten berättelse. Det var en gång en dubbelarbetande mamma som skulle ha middag hemma. Av det skälet tvingades hon lämna arbetsplatsen innan hon egentligen var färdig, springa till affären och handla, skynda sig till fritids för att hämta dottern och sedan hasta till dagis för att hämta sin son.

Medan hon stod och lagade middag, kom sonen in i köket flera gånger och tjatade om det ena och det andra. Sista gången han gjorde så, var mammans stubin redan så kort att hon for i taket. Pojken pilade iväg till sitt rum. Ganska snart lugnade mamman ner sig och insåg att hennes reaktion varit litet väl kraftig. Hon gick in i pojkens rum och sade till honom:

Du, Kristoffer, det som hände i köket var väldigt dumt av mig! Egentligen hade det ganska litet med dig att göra. Du förstår, jag var så jäktad och då blev jag sur för ingenting. Jag ångrar att jag reagerade som jag gjorde, det var dumt av mig. Kan du förlåta mig för det?

Kristoffer, som inte var helt främmande för att folk kan bli arga, sade att det var okej.

Mindre än en vecka senare inträffade nästan exakt samma sak en gång till. Återigen stod mamman och lagade middag, men den här gången var det Kristoffer som kokade över! Han drämde igen köksdörren efter sig och rusade in på sitt rum med buller och bång. Mamman tänkte:

Ja, ja. Låt det bara rinna av honom lite grann.

Men innan hon ens tänkt tanken till slut, så stod Kristoffer där i dörröppningen igen och stammade fram en smula moloket:

Du mamma, det där var dumt av mig! Kan du förlåta mig för det?

Med ens blev både Kristoffer och mamman väldigt glansiga i ögonen och gav varandra en lång, varm kram. Och snipp, snapp, snut – så var sagan slut.

När barn har gjort något som föräldrarna inte gillar, är föräldrarna inte sena att kräva att barnen ska be "om förlåtelse". Från början torde meningen med detta ha varit att barnen skulle be en bön till Vår Herre. I vår mer sekulariserade tid verkar det ibland som om vissa föräldrar tänkt sig att de ska verkställa domedagen helt på egen hand. Som föräldrar är det inte ovanligt att vi, även i egna ögon, framstår som fullkomligt ofelbara. Vi ålägger botgöring, och barnen kryper for oss. Kanske borde vi oftare medge att också vi begår misstag och gör fel. Senare i livet blir det oftast möjligt att le åt våra fel och brister. (Man kan ha roligt åt alla sina tabbar, men med en del av dem tar det bara lite längre tid.) Det blir lättare för barnen att acceptera att deras fel tas upp, om vi själva är beredda att se våra egna. En otrevlig upplevelse kan på så vis förvandlas till en bra erfarenhet på längre sikt. Om man nu verkligen kan dra lärdom av sina misstag, då går många tillfällen att lära sig något till spillo om både barn och vuxna ängsligt förnekar eller döljer sina fel.

Men det är viktigt att vi först och främst håller i minnet vad vi *lärde oss* av ett misstag, inte misstaget som sådant. Minnet är en fantastisk egenskap! Vi vuxna kan minnas barnens fel i flera månader och år, och vi kan fortsätta att påminna barnen om dem gång på gång:

Jaså!? Har du redan glömt hur det gick sist du skulle pröva det? Nej tack, det har vi varit med om förr!

Vi får allt försöka att inte genast vända tidigare händelser mot barnen. Det vore outhärdligt att leva tillsammans om vi inte var beredda att lägga en del otrevligheter bakom oss.

Det inledande exemplet var verkligen en saga, för det illustrerar barnets sagolika förmåga till att lära av förebilder, det vill säga deras förmåga att lära sig något utifrån vad de sett andra göra. Att mamman uppträdde som hon gjorde, berodde inte på något slags beräknande baktanke att hon i uppfostrande syfte skulle visa barnet hur man ber om ursäkt. Tvärtom, hon ödmjukade sig uppriktigt och ärligt inför sonen genom att medge att hon själv gjort något dumt. Inte desto mindre fattade sonen galoppen:

Det är mänskligt att fela, och vi kan alla behöva bli förlåtna!

När barnen ifrågasätter våra gränser

... då ska vi lyssna till dem! Vi gör i alla händelser klokast i att inte genast bokföra deras invändningar på kontot för uppstudsighet eller bristande respekt:

120

Åttaåring: *Mamma, jag tycker att jag borde få vara uppe längre än till halv nio!*
Mamma: *Nej, nu får du väl ändå ge dig, Ingrid! Åttaåringar ska egentligen gå och lägga sig klockan åtta! Har du inte lärt dig det i skolan?*

Vi gör klokare i att hålla dörren öppen och höra oss för om deras argument:

Åttaåring: *Mamma, jag tycker jag borde få vara uppe längre än till halv nio!*
Mamma: *Så? Få höra vad du menar med det, Ingrid?*
Åttaåring: *Jo, för jag är aldrig sur och trött på morgonen, och jag klär på mig själv och kommer aldrig för sent till frukost!*
Mamma: *Ja, det har du ju faktiskt alldeles rätt i! Tja, vi kanske kan pröva och se om det funkar att du lägger dig lite senare då?*

Målet med gränssättning är inte att vi ska fortsätta att kontrollera barnen, utan att de ska lära sig att kontrollera sig själva. Barnen ska inte förbli styrda utifrån i all evighet, utan de ska lära sig att styra sig själva inifrån. Ingrid ser tidpunkten för läggdags i ljuset av vad hon ska klara av att genomföra nästa dag. Åttaåringen bevisar därmed att hon börjar ta ansvar för sina handlingar. Och det är just en sådan värderande förmåga vi gärna vill uppmuntra hos barnen, så att de frågor de ställer sig ändras från:

Kan jag göra detta? Får jag det för mamma och pappa?
till:

Kan jag göra detta? Eller går det ut över någon annan ifall jag gör det?

Medan barnen ännu är små, har vi föräldrar ett ansvar för hur de uppför sig. Vi är de första auktoriteterna i deras liv som sätter upp diverse normer för deras beteende. Men i takt med att normerna bland kompisar och i andra miljöer tillmäts allt större vikt, försvagas vårt föräldrainflytande. Fram till dess att de når myndig ålder, får vi allt eftersom allt mindre att säga till om. Sedan är det dags för våra barn att själva stå upp och ta det fulla ansvaret för vad de gör.

Om vi kräver att barnen blint ska lyda oss till punkt och pricka, då gör vi dem en väldig björntjänst. För när det inte längre är vi som har det främsta inflytandet över dem, då kan de ersätta den blinda lydnaden mot oss med en lika blind lydnad mot andra. Den bästa form av påverkan vi kan ge våra barn, är att visa dem värdet av att ständigt fråga sig om ens eget beteende drabbar andra, eller om det är förenligt med andra människors mål och sysslor. Då kommer de samtidigt att bygga upp en bild av sig själva som goda medmänniskor.

6 Bortom hemmets gränser

Härnäst ska vi rikta blicken mot några olika situationer utanför hemmet. Exemplen är till större delen hämtade från diskussioner jag haft med föräldrar som berättat om sina erfarenheter av gränssättning. Än en gång måste jag därför understryka att det inte rör sig om något slags standardsituationer eller orakelsvar, utan endast om ett försök att visa att vi har allt att vinna på att tänka på barnens självbild och inlärning när vi sätter gränser för dem.

Vissa föräldrar har undrat om inte barn blir väldigt förvirrade av att möta olika regler i olika miljöer. Utan att för den skull vilja generalisera utifrån mina erfarenheter med mina egna barn, tänkte jag likväl inleda kapitlet med en självupplevd historia.

Då vår son var liten var vi så lyckligt lottade att vi hade en fantastisk mormor som ofta ställde upp för oss. I vår respektive syn på barnuppfostran var vi för det mesta överens, men i en del frågor hade vi delade meningar. Som nyblivna föräldrar gjorde min fru och jag till exempel en tydlig skillnad mellan mat och lek, det vill säga, pojken fick inte ta med sig leksaker till matbordet, och inte heller ta med sig maten när han lekte. Svärmor hade emellertid en annan uppfattning:

Det ska du veta, Arne, små barn är som ekorrar – de måste ha något att äta på för jämnan!

Och när pojken var på besök hos mormor, blev jämförelsen med en ekorre efterhand alltmer passande! Han for upp och ner som en ekorre, oftast knaprande på ett kex eller en kaka. Mormor rusade efter med borste och skyffel för att sopa upp smulorna, överlycklig över att han fick i sig lite näring. Det lustiga var emellertid att pojken aldrig betedde sig så hemma hos oss! Men så fort vi var hemma hos svärföräldrarna, kom ekorren inom honom till liv igen och det var verkligen ingenting vi kunde göra åt den saken.

Måste gränserna vara lika överallt?

Föregående exempel får tjäna som en illustration av att gränsuppfattningen hos mindre barn ofta är specifikt knuten till bestämda omgivningar eller miljöer, till särskilda personer och rentav till vissa bestämda tider på dygnet – mycket mer så än vi kanske tror. Det förefaller som om förskolebarn relativt smidigt anpassar sig till olika regelverk och sätt att vara, utan att för den skull utveckla en kluven personlighet. När de kommer upp i skolåldern, är förutsättningarna större för att de ska förstå att förväntningarna på deras uppförande är mer allmänna. Men för den skull ska vi inte ta för givet att de uppför sig likadant i skolan som de gör hemma. Längre upp i åren blir eleverna så skickliga i att tänka abstrakt, att en av deras absoluta favoritsysslor är att påvisa logiska brister i föräldrarnas egna tankar. Och ungdomar kan mycket väl förstå en moralisk princip, men eftersom det ännu så länge är viktigare för dem att leva upp till de jämnårigas förväntningar, kan vi inte räkna med att de på denna utvecklingsnivå kommer att göra precis som vi har sagt åt dem att göra.

Nästan oavsett ålder kan således gränserna variera från situation till situation eller från ställe till ställe. Av detta kan vi dra åtminstone två slutsatser. För det första att barn inte alltid tar med sig gränserna hemifrån ut i värl den, och för det andra att det ibland behöver sättas gränser för barn även utanför hemmet.

På ett daghem, till exempel, ska många små människor samsas med varandra på en relativt begränsad yta. Det är klart att en sådan miljö kräver andra beteenderegler än vad som är av nöden i ett hem. Barnen både uppfattar och accepterar sådana ramar utan större svårigheter, och utan att jämföra med hur det förhåller sig hemma. Det är tvärtom ofta de vuxna som tappar hakan när de inser vilka normer barnen tagit till sig på dagis, och som de inte är i närheten av att utöva hemma:

Va!? Har ni lyckats få henne att äta upp brödkanterna?
(eller)
Milda makter, här städar han ju upp efter sig!

När ett barn är tillsammans med andra barn på bortaplan, kan det alltså mycket snabbt överge normerna hemifrån och ta seden dit han eller hon kommer:

When in Rome – do like the Romans!

Och när ditt barns kompisar kommer på besök, kan du inte heller ta för givet att de har tagit med sig alla de goda manér de lärt sig hemma. Om de unga gästerna plötsligt börjar roa sig med att hoppa i din soffa, kan det således vara på sin plats att fråga de små liven:

Säg mig, får ni göra så där hemma hos er?

Vad de får eller inte får göra hemma hos sig, kan te sig direkt irrelevant i jämförelse med det som är så kul att göra hemma hos dig. Därför är det lika bra att du framstår som den du antagligen ändå är i deras ögon, nämligen den som bestämmer här och nu:

Nej, hör här allesammans! Nu är ni hemma hos oss, och här får ingen hoppa i soffan!

Sannolikt blir du snart åtlydd av samtliga på plats. Med andra ord: Barn behöver inte bemötas med exakt identiska normer på olika spelplaner för att respektera dessa normer. Och detta gör det bara ännu viktigare för de vuxna som befinner sig på de olika spelplanerna *att vara tydliga*!

Med barnen i affären

Föräldrar tar gärna – eller i alla fall ofta – med sig barnen när de ska ut och handla, och de flesta har väl varit med om att det kan urarta till rena tålamodsprovet. Diverse strategier brukar anläggas, allt från att placera ungen i kundvagnens barnsits med en rejäl kanelbulle, till att släpa runt på en riktig surpuppa som titt som tätt verkar drabbas av akut funktionssvikt i knäna, såvida det inte rör sig om ett veritabelt kvicksilver som skuttar fram mellan hyllorna och river ner varor som sedan får ställas tillbaka av en vuxen på god väg mot kokpunkten.

Sluta upp med det där! Om inte mamma får handla blir det ingen middag, och då får vi svälta ihjäl! Är det så du vill ha det, eller?

Här upplever vi barnens verksamhetslust som något negativt som hindrar oss från att genomföra det vi planerat. Med en traditionell syn på gränssättning kan vi då se det som vår främsta uppgift att få barnen att genast sluta upp med det de gör. Men gränssättning kan också, som vi tidigare sett, förstås som att *ge ramar* åt barnens aktiviteter och uppförande. Situationen är ju egentligen den, att vi vuxna har bjudit med barnen på något som de likväl inte får delta i. Som ett alternativ vore det därför mer konstruktivt om vi från början lade upp vissa ramar för inköpsrundan och sedan inbjöd barnen att delta *inom dessa ramar*. I stället för att hejda barnens framfart, kan vi kanalisera deras handlingar i en riktning som är förenlig med själva inköpet, så att vi handlar gemensamt. Det finns flera tänkbara sätt att engagera barnen:

Kan du lägga det här brödet i vagnen? Fint – tack ska du ha!

Och så skulle vi ha mjölk – vet du var mjölken står?

Här har vi grejer till bakning, kan du hitta en påse socker? Se, där är äpplena – kan du peka ut fyra stycken, så tar vi dem?

Hur många tomater behöver vi? Kan du räkna så att vi får så många som vi ska ha?

Nu ska vi se ... var är det där pålägget som du gillar?

Barn inspireras ofta av de vuxnas handlingar. Det märker vi inte minst på hur de hämtar näring till sina rollspel från vuxenvärldens "verkliga liv". Därför vill barnen gärna vara med när vi gör våra inköp. I exemplen ovan ger den vuxne barnet ett tillfälle att vara med och samarbeta, i stället för att redan från början definiera barnet som en motarbetare! Medan vi ändå uppehåller oss i butiken, kan vi passa på att titta på en annan situation. På stormarknaden tvingas vi som regel passera förbi en hel rad godishyllor, utsökt strategiskt placerade just där det vanligen bildas köer till kassorna. De flesta föräldrar tillämpar en relativt förståndig och stabil policy beträffande godis på hemmaplan. Men barn har som bekant en sagolik intuition och fattar blixtsnabbt att föräldern inte utan vidare kommer att kunna vara lika obevekligt ståndaktig inför publik. Det behövs inte mycket skrik och gnäll förrän snasket är bärgat. Lite demonstrativ förtvivlan, så kanske till och med kassörskan trollar fram en liten godisbit, helt gratis och av pur välvilja!

Är du osedvanligt tursam, lägger sig barnet raklångt på golvet och ylar i högan sky medan du står där med kundvagnen full och väntar på att få betala. Då är det förstås rätt frestande att köpa sig några minuters lugn och ro. Men det är inte heller alltför svårt att inse hur ett sådant panikköp kan tjäna som uppmuntran för framtida uppföranden. I sådana här situationer blir det ovanligt tydligt hur viktigt det är att vi föräldrar kan sätta gränser som vi verkligen står för. Om du har en genomtänkt policy för när och varför godis är på sin plats, har du förmodligen heller inte så svårt att efterleva den offentligt. Då kommer barnet att uppleva att du står för vad du säger. Därmed framstår du som en person med *integritet* och kan förmedla något av denna viktiga egenskap till barnet, låt vara att han eller hon inte förstår innebörden av ordet – ännu!

Gråzonerna

Det är alltså naturligt att barnen möter olika gränser och olika gränssättare på olika spelplaner, och faktum är att de kan leva med dessa variationer utan att det vållar dem några större bekymmer. Situationen blir emellertid en annan om barnet befinner sig i en skärningspunkt mellan två spelplaner, så att han eller hon inte är helt säker på vilka gränser som gäller. Som exempel kan vi ta ett område där hem och dagis överlappar varandra: vid hämtningen. Både daghemspersonal och föräldrar brukar framhäva hämtningssituationen, alltså när föräldrarna kommer till dagis för att hämta hem sina barn, som en typisk situation där det kan uppstå problem.

Låt oss säga att du kommer till dagis efter avslutad arbetsdag. I din tidsplan ingick inte från början att hämtningen skulle ta hela 45 minuter. Vad var det egentligen som hände? Nöjd och glad, fast kanske lite jäktad, anländer du till dagis för att hämta ditt barn. Personalen drar sig tillbaka en aning, men du känner deras professionella ögon i nacken, så här gäller det naturligtvis att visa att du har pli på ungen. Och därmed faller den första ödesdigra repliken:

Hejsan, Camilla! Nu vill du bra gärna gå hem, eller hur?

Men det vill Camilla inte alls, utan hon pilar iväg in på dagiset igen med en otydlig kommentar om att hon:

... ska bara lägga färdigt pusslet först!

Med ett leende på läpparna och utan skor på fötterna kliver också du in på avdelningen, i första hand för att se på pusslet. Sedan föreslår du att det kanske räcker med att lägga pusslet *en* gång till? Camilla har emellertid redan lämnat pusslet bakom sig och skyndat vidare till en utställning av barnteckningar på väggen i rummet intill:

Den har jag gjort!

Med beundran i blicken fäller du en bekräftande kommentar och föreslår i samma andetag att Camilla kanske kan rita en lika fin teckning när ni kommer hem? Men den lilla konstnärinnan har redan förflyttat sig till byrålådan med hennes eget bomärke, där det visar sig ligga en halvfärdig, broderad duk. Men nu är ditt eget intresse så starkt i dalande att du närmast skuffar ut Camilla i hallen och befaller henne att genast klä på sig.

Eftersom det inte lyckas denna gången heller, är det dags för ett mer dramatiskt utspel:

Om du inte skyndar på nu, så går mamma!

Men ack! – inte heller denna strategi är särskilt väl överlagd! Somliga föräldrar lyckas visserligen ta sig ända ut utanför porten till daghemmet, utom synhåll för barnet – innan de tvingas lomma tillbaka igen, lika uppgivna som nyss. Det enda man har uppnått med denna styrkedemonstration, är att man lyckats visa att man kan hota med tomma ord. (Det skulle självfallet inte göra saken bättre om den vuxne verkligen gjorde allvar av sitt hot och faktiskt gick sin väg för att hämta dottern först vid stängningsdags.)

Måhända testar du därför hellre med den argumenterande varianten:

Det förstår du väl, att om vi inte hinner till affären före fem, så kan vi inte köpa glassen som vi ska ha till efterrätt ikväll, när moster Gunilla och lille Rudolf kommer på besök, och då blir Rudolf säkert inte glad ...

Men den unga hjärnan (som även en bra dag kan ha problem med att greppa orsakssammanhang mellan flera hypotetiska händelser) inser naturligtvis inte den kristallklara, logiska kopplingen mellan Rudolfs framtida förbittring och den egna nuvarande oviljan till att klä på sig.

Därför slutar seansen förmodligen med att du något bryskt tar ungen under ena armen, kläder och ryggsäck under den andra, och lämnar dagis:

(muttrande:) Hej då, tack för idag ...
(ännu mer muttrande:) Himla unge!

Hur kunde den här situationen bli så besvärlig? Och vad hade man kunnat göra annorlunda? Som vuxna är vi vana vid att arbetsdagen kan organiseras med snabba växlingar mellan olika arbetsuppgifter. För små barn, däremot, innebär det en mycket större omställning att gå från den ena aktiviteten till en annan. Det är för övrigt därför som daghemspersonal sällan stormar in bland en flock barn och säger:

Nu måste ni genast städa upp, för snart ska vi äta!

Övergången till en ny aktivitet kan genomföras långt mera smidigt om barnen förvarnas en stund i förväg, till exempel genom att personalen säger:

Nu ringer vi i städklockan! Det betyder att ni ska börja städa undan era leksaker om tre minuter!

Tre minuter senare kommer besked om att städningen ska börja. Men då är barnen mentalt redan inställda på det och har haft möjlighet att avsluta sina lekar. När vi föräldrar kommer till dagis på eftermiddagen, har barnen haft en lång dag rik på händelser och upplevelser. De kanske är lite trötta, och då är det ännu svårare att bums ställa om sig till en ny situation. Många gånger vill de helst stanna kvar på dagis tillsammans med sina föräldrar. Vanligtvis är det andra vuxna som bestämmer på dagis, men personalen håller gärna en lite lägre profil när föräldrar dyker upp. Om då föräldrarna blir osäkra på hur de ska hantera situationen, lägger barnen genast märke till att mamma eller pappa inte beter sig som hon eller han brukar göra hemma. Därmed uppstår ett glapp eller en gråzon, vari varken föräldern eller personalen är tydlig. Detta älskar barn! De inser omedelbart att ingen håller i tyglarna längre, och det ger dem en frihet som de bara måste pröva på.

Det är egentligen rätt otroligt hur snabbt små barn tar ett sådant vacuum i besittning. Säg till exempel att det kommer en okänd vikarie till dagiset. Vederbörande blir fullkomligt omkullsprungen av barn som ska fråga om de har lov till det ena eller andra:

Barnen: *Får vi leka på andra sidan staketet?*
Vikarien: *Ja, jo ... det verkar väl inte så farligt ...*

Naturligtvis vet barnen mer än väl att de inte får leka på andra sidan staketet! Men de vet också utmärkt väl att vikarien inte vet det. Ve den vikarie som i sådana situationer inte har vett att först höra sig för med övrig, ordinarie personal!

Barnen: *Hi-hi! Vi fick! Vi fick!*

De gråzoner som uppstår vid till exempel hämtningen, kan bli tydligare genom att de vuxna minskar glappet mellan förväntningarna. Om föräldrarna eller personalen märker att hämtningen alltid präglas av hopplösa förhandlingar, där alla i slutänden framstår som förlorare, kan ju de vuxna alltid pröva på att samarbeta. Föräldern kan till exempel ringa i förväg och säga att han eller hon är i antågande. Då får personalen möjlighet att förbereda barnet på vad som väntar och komma överens om hur eller när en viss aktivitet ska vara avslutad. När sedan mamma eller pappa väl kommer, kan personalen säga:

Dagisfröken: *Camilla och jag har kommit överens om att hon ska få lägga de tio sista bitarna i pusslet innan hon går hem.*
Mamman: *Så bra, Camilla. Då tittar jag på medan du lägger de sista bitarna, så går vi hem sedan!*

Eventuellt kan personalen börja påklädningen i omklädningsrummet, så att föräldrarna kan ta över när de kommer. Och så var det det där med att smida järnet i bägge ändar. Om hämtningen tidigare varit besvärlig, men nu plötsligt en dag går smärtfritt, så underlåt för all del inte att kommentera det:

Idag var det riktigt roligt att hämta dig!

Det är inte nödvändigt att ha så fasta ramar för alla barn vid hämtningssituationen. De flesta hämtningar avlöper trots allt rätt så lätt och utan komplikationer. Men man ska inte bli förvånad om just denna typ av situation under vissa perioder ställer till en del problem. Då är det bra om föräldrar och personal kan samarbeta på ett sådant sätt att barnet möter samma gränser, oavsett vilket vuxenlager det vander sig till. Även här gäller emellertid att det alltid är bättre att lägga större vikt vid att rama in ett beteende *som du värdesätter*, än att hålla fram en bild av något som du *inte* gillar.

Andra föräldrar

Uppfostran hör i de allra flestas ögon till privatlivets sfär. Vi lägger oss sällan i hur andra uppfostrar sina barn och undanber oss kommentarer om vårt eget sätt att umgås med barnen. Även om det tidvis kan vara svårt att sätta gränser, är det inte ofta vi tar upp sådana frågor i våra samtal med andra föräldrar. Folk kunde ju tro att vi har problem med ungarna! Nej, lyckade föräldrar har inga behov av att diskutera sådana saker.

Det krävs självklart ett visst mod för att medge att man

ibland har det kämpigt med föräldraskapet. Men de verkligt lyckade föräldrarna är kanske just de som kan erkänna att det ena eller det andra hade kunnat göras annorlunda, och som kan dra lärdom av sina misstag. Gränssättning är långt ifrån något som man antingen kan eller inte kan. Man måste pröva sig fram för att finna ut ett fungerande sätt att leva tillsammans med sina barn. Därför har alla föräldrar mycket att vinna på att öppna sig en aning för varandra och till exempel tala om vilka gränser man försökt sätta för sina barn, varför man satt just de gränserna, hur man satt dem och vilka erfarenheter man gjort. Det kan vara både betryggande och stärkande att få veta att andra kämpar med snarlika problem, och det går också att snappa upp bra tips från andra som är eller har varit i en likartad situation.

Barn hänger lätt upp sig på vad andra barn har lov att göra. Ofta hör man sina barn säga att:

... alla andra får ju det!

Själv är du kanske inte lika övertygad om att "alla andra får det", men å andra sidan vill du ju heller inte vara onödigt sträng. Och det finns områden där föräldrar med jämnåriga barn gärna skulle diskutera vilka gränser som vore bra:

Vilka regler har ni för tevetittande?

När tycker ni att barnen ska vara hemma på kvällen?

Hur dags brukar ni säga åt barnen att gå och lägga sig?

136

Vad är lämpligt att bjuda på när man har barnkalas?

Vad är en rimlig prisklass för födelsedagspresenter?

När hade ni tänkt ge barnet en tvåhjuling?

På vissa områden kan ni kanske rentav sätta gemensamma gränser. Om till exempel alla föräldrar i ett visst bostadsområde säger åt sina barn att ingen får cykla på den eller den gatan på grund av biltrafiken där, kan inget barn heller tjata om att få cykla där med hänvisning till att de andra barnen får det. Och bara det att *en* vuxen visar sig på den gatan, blir då en påminnelse för *alla* barn om att de inte har lov att cykla där.

Betonas bör emellertid att alla föräldrar har och får ha skilda synpunkter på frågor rörande uppfostran. Vi lever i ett samhälle där olika värderingar och människosyn har rätt att leva sida vid sida. I en del frågor om gränssättning är det sannerligen inte lätt att säga att vissa lösningar är rätt och andra fel. Det innebär än en gång att det viktigaste är att *du* kan stå för de gränser du sätter för *dina* barn. Om barnen invänder att andra familjer minsann har andra regler, kan du svara dem att människor har rätt till olika saker i vårt land – så länge som de inte bryter mot lagen. Men om barnen skulle fråga, bör du i alla händelser kunna motivera dina val.

Ut i trafiken

Många familjer bor i närheten av trafikerade gator och vägar. De första åren följer vi barnen till dagis och skola, men efterhand ska de allra flesta lära sig att ta sig dit för egen maskin. Ett par sekunders bristande uppmärksamhet kan få ödesdigra konsekvenser. Inte sällan är detta det enda en chockad chaufför har att säga:

Helt plötsligt kom barnet bara springande rakt ut i vägen!

För att undervisa förskolebarn i hur man beter sig i trafiken, har det tagits fram diverse material med pedagogiska texter och sånger, bilder och planscher. Det är visserligen både kul och upplysande för barnen, men det betyder inte att vi vuxna kan slå oss till ro med så lite. Att barnen har lärt sig hur de ska ta sig fram på gator och torg utantill, är ingen garanti för att de reglerna i verkligheten skyddar dem. Ända upp i tioårsåldern är det svårt för ett barn att uppskatta hur fort ett fordon färdas, till exempel. Du kan förklara för barnet hur långt ifrån övergångsstället en bil bör befinna sig för att det ska vara säkert att gå över gatan, men det kan ju hända att en bil kör för fort – barnet traskar ut i gatan likafullt. Likaså omvänt: om bilen passerat märket, fast i snigelfart, kan barnet stå och vela i onödan på trottoaren. Det farligaste är emellertid att barn kan springa rakt ut på gatan hals över huvud, utan att se sig för, för att hämta en boll eller för att de fått syn på någon de känner igen på andra sidan.

Vi har tidigare nämnt att gränssättning bland annat handlar om att lära barnen att tygla sin impulsivitet. I trafiken är det uppenbart att barn behöver utveckla sin impulskontroll. Men här kan vi *inte* chansa på att blotta gränssättningen förslår. Riskerna för misslyckanden är alltför stora, och varje misslyckande kan vara fatalt! När ditt barn börjar i skolan, bör du följa med det dit under den första tiden. Då kan du också passa på att tala med ditt barn om allt man måste ta hänsyn till när man ger sig ut längs trafikerade vägar.

Här stannar vi lite på trottoarkanten. Och så ser vi först om det kommer någon bil från vänster, där borta vid trädet, och sedan om det kommer någon bil från höger, borta vid skylten där, och så kastar vi en hastig blick till vänster igen innan vi går över!

Efter några dagar kan du låta barnet upprepa denna typ av procedurer på de kritiska platserna, för att försäkra dig om att han eller hon har allting klart för sig. Men detta hindrar inte att föräldrarna bör trycka på hos skola och berörda myndigheter för att göra skolvägen för de yngsta barnen *fysiskt säker.*

Samarbetet mellan hem och skola

Skolan har ett ansvar för barnens uppfostran och utbildning, men det ska ske genom samarbete med föräldrarna och i samförstånd med dem.

Genom information, föräldrasamtal och klassmöten ska föräldrarna få insyn i vad barnen lär sig och i vad man gör för att skapa trivsel och trygghet bland eleverna.

I sådana sammanhang kan det snart uppstå frågor kring gränser och gränssättning. Oro och bristande uppmärksamhet i klassrummet är inte ovanligt, och inte sällan klandrar lärare och föräldrar varandra för dessa problem, i stället för att fråga sig hur de gemensamt kan anstränga sig för att lösa dem.

Vem har rätt av pappan och lärarinnan i exemplet ovan? Borde det inte vara föräldrarnas uppgift att lära barnen hur de ska uppföra sig i klassrummet? Eller är det lärarens ansvar att sörja för en god stämning i klassen? Bägge parter kan bidra – fast kanske inte riktigt på samma sätt.

När ett barn blir skolelev, ställs det bland annat större krav på barnets självbehärskning. Tidigare var barnet kanske vant vid att tala fritt och spontant så fort det hade något att säga, men nu måste det lära sig att vänta på sin tur innan det får öppna munnen. Och tidigare var det kanske lättare att få kontakt med de vuxna, medan barnet nu måste konkurrera med flera andra elever om lärarens uppmärksamhet. Oavsett vilka gränser barnet lärt sig hemma, tvingas det lära sig en rad nya som gäller i klassrummet.

Kanske är det bäst att se det individuella beteendet och gruppbeteendet som två helt skilda saker. Barn beter sig ibland helt annorlunda i skolan än hemmavid. Vi föräldrar har inga som helst garantier för att det i våra egna ögon så väluppfostrade barnet kommer att uppföra sig lika fint när det utgör en del av gruppen. Därför är det heller inte så konstigt att föräldrar och lärare inte alltid känner igen sig i motpartens beskrivning av ett och samma barn.

Det är viktigt och välgörande att barnen lär sig goda vanor hemma av sina föräldrar. Det ger dem en repertoar av möjliga beteenden som de kan använda också på andra spelplaner. Men föräldrarna kan endast i begränsad utsträckning göra något åt skolbeteendet hemifrån. Det hela blir då lätt ett slags "fjärrgränssättning" i både tid och rum. Därmed blir föräldrarnas gränser inte endast abstrakta, deras reaktioner kommer också långt efter det att händelserna inträffade.

Därför är det främst lärarens uppgift att sporra barnen till ett gott uppförande i klassrummet. Här är det läraren som framstår som den vuxna normgivaren. Arbetet med att odla en god klassrumskultur går ofta ut på att etablera vissa fasta, gemensamma rutiner. Det kan till exempel handla om att det ska vara tyst i klassen en minut efter det att lektionen börjat (mot tidigare fem eller tio minuter, som på dagis), att eleverna lär sig hämta böcker och annat material gruppvis (så att inte alla rusar iväg på en och samma gång) eller att de lär sig vänta på sin tur. Barnen måste lära sig att balansera sina behov av självhävdelse och självbehärskning i situationer som de saknat möjlighet att öva på hemma.

Likväl kan familjen understödja lärarens arbete på många sätt och vis. Föräldrarna kan till exempel bidra till att skapa ett bra förhållande mellan eleverna. I de lägre klasserna kan man arrangera vängrupper. Klassen indelas till exempel i grupper om fyra eller fem, och föräldrarna till barnen i varje grupp kan komma överens om att ta hem hela elevgruppen till sig, till exempel varannan vecka efter skoltid. Sådana sammankomster behöver inte nödvändigtvis bli något slags "minikalas" med läsk och godis, men det kan vara trevligt att eleverna leker ihop, läser läxor tillsammans och äter middag med den familj som de besöker innan de hämtas av sina föräldrar. På så vis kan elever som annars inte umgås utanför skolan få tillfälle att lära känna varandra bättre, och det gagnar stämningen i klassrummet. Dessutom blir eleverna bekanta med varandras föräldrar, liksom föräldrarna lär känna varandras barn. När alla har haft sin tur, kan grupperna ges en annan sammansättning (gärna på förslag från läraren).

En annan bra sak är att föräldrarna utvecklar nätverk sinsemellan, så att det faller sig mer naturligt för dem att ringa varandra om barnen skulle ha råkat i en inbördes konflikt. Som föräldrar är det så lätt hänt att vi "köper" vårt eget barns version av vad som skett. Men alla barn kommer naturligtvis att framställa händelseförloppet på ett sätt som gynnar dem eller får dem själva att framstå i en bättre dager. I stället för att utan vidare bekräfta sina egna barns versioner, är det bra om barnen och de berörda föräldrarna gemensamt sätter sig ner och talar ut om konflikten. Det är inte ovanligt att vi som föräldrar baserar vår uppfattning om skolan på erfarenheter från vår egen skolgång. Skolan är trots allt av hävd en sorts maktinstitution, och det gör att vi ibland kanske spetsar öronen en aning extra när barnen berättar om "stränga lärare" och "elaka rektorer". Visst ska vi ta våra barn på allvar, men vi behöver inte för den skull svälja allt som de berättar om sin skolgång. Innan du för ordet vidare till andra föräldrar, kan det vara bra att inhämta skolans egen version. Föräldrarna har all rätt att ställa kritiska frågor till både skolledning och lärare, men problemen bör tas upp direkt med skolans personal och inte först ventileras i barnens åhörande. Ibland är det rent otroligt hur välunderrättade elever menar sig vara om sina lärare, och det är inte bra om dessa detaljer inhämtats hemifrån. Föräldrarna kan bidra med mycket till att skapa en positiv klassmiljö, genom att helt enkelt framhålla vad de ser som positivt med skolan.

Det är orealistiskt att tro att de gränser barnen får sig till livs hemma är gångbara i alla situationer. Vad vi till vardags kallar "folkvett" betecknar ett tämligen brett spektrum av kompetenser och förmågor, inte minst till att någorlunda rätta sig efter hela den rad av förväntningar som ens medmänniskor kan ha i de mest skilda situationer. Folkvett är till exempel att veta vad man gör och inte gör på bussen, i affären, på bio, på idrottsplan, tillsammans med sina vänner, samt självfallet även i klassrummet och i föräldrahemmet. Mycket av detta kan barnen öva på tillsammans med sina föräldrar, men en del av sitt folkvett utvecklar de också i samspel med andra vuxna: busschauffören, affärsexpediten, biljettkontrollanten, idrottstränaren, vännernas föräldrar och inte minst läraren. Ett bra bidrag från föräldrarnas sida är om de kan lära sina barn att i grund och botten respektera andra människor.

7 Gränssättning är motsägelsefullt

Att finnas till som vuxen person för en ung människa innebär ett ständigt pendlande mellan konstruktiva ingripanden och taktfull tillbakadragenhet. Ibland är det bra för barnet att vi griper in, andra gånger är det bättre att vi låter bli. En rad motstridiga hänsyn spelar in när vi ska sätta gränser för våra barn, och inte sällan gör sig flera dilemman påminda i en och samma situation:

Vi ser det som önskvärt att våra barn är impulsiva, men ibland måste de också kunna tygla sin impulsivitet.

Vi uppskattar att barnen har sina alldeles egna beteenden, men samtidigt kan de må bra av att lära sig lite allmänt folkvett.

Hos en del barn skulle vi vilja uppmuntra vissa egenskaper, som vi däremot tycker att andra barn besitter i alltför hög grad.

Somliga situationer kräver att vi uppträder med fasthet, medan andra situationer fordrar prov på flexibilitet.

Vi ska ta hänsyn till barnen, men har också rätt att ta hänsyn till oss själva.

Barn ska bemötas med tålamod och överseende, men våra reaktioner ska också vara äkta och uppriktiga.

Vi menar att vi formar barnen genom våra gränser, men vi formas också själva av barnens reaktioner på dessa gränser! Det är alltså inte endast barnen som lär av föräldrarna, utan bägge parter lär sig tillsammans, av varandra.

När det gäller sådana här saker, kan du inte enkelt välja bort det ena till förmån för dess motsats. De utesluter nämligen inte varandra, tvärtom förutsätter de varandra ömsesidigt. Det är till exempel lättare att veta när du bör vara flexibel, om du samtidigt är klar över vilka situationer som kräver fasthet. Motsättningarna här talar egentligen bara för vilket sammansatt område du rör dig på, när du vill sätta gränser för ditt barn. När vi rör oss i ett mänskligt landskap, har vi aldrig tillgång till något slags karta där alla gränser ritats in på förhand. Mänskliga relationer måste alltid grunda sig på inlevelse, de går aldrig att styra enbart med stöd av olika "tekniker".

Därför måste du själv trampa upp dina egna stigar och göra dina alldeles egna erfarenheter. Endast så blir du säker på att du kan stå för de gränser du sätter, och på att de är bra för just ditt barn. Vägen blir till medan du vandrar! Varje gång du tycker dig se en bild som du gillar, ska du rama in den och göra den tydlig för ditt barn. Skulle ett mönster som du inte gillar börja avteckna sig, ska du rama in även det, så att barnet kan se det. I samma stund som du blir varse något som du ogillar, vet du ju också genast vad du hellre skulle vilja se, och då kan du visa ramarna för detta som du tycker är bättre. Det är upp till

146

dig vilka ramar som ska gälla. I samma veva bidrar du till att teckna barnets självbild, och du lär ditt barn vad det betyder att vara en människa bland människor – en medmänniska.

Å ena sidan är vi tvungna att pröva oss fram och dra lärdom av våra egna erfarenheter. Å andra sidan är det viktigt att barnen kan skönja mönstret i de gränser du sätter. Det kan förefalla vara en självmotsägelse att vi ska reflektera över och fortlöpande ändra på vår praxis samtidigt som vi ska agera konsekvent. Men förutsägbarheten ska inte vara beroende av att vi i alla lägen lutar oss mot en bestämd teknik eller ett visst sätt. Konsekvent blir gränssättningen egentligen först när du uppriktigt önskar ditt barns bästa och kan stå för vad du tror på. Även om vi ändrar oss över tiden, är gränssättningen alltid en god hjälp till att bli hänsynsfull och medmänsklig.

Det ligger också en skenbar motsägelse i detta, att vi ska uppfostra våra barn till självständiga individer. Ett barn kan inte ta ansvar för sig själv på en auktoritets befallning. Det går inte att agera självständigt på uppmaning av en annan. Björn Afzelius har skrivit en barnvisa för vuxna, *Ikaros* (efter den olycksaliga mytfiguren), där det bland annat heter:

Låt den du älskar få pröva sina vingar,
en dag så flyger din älskade rätt.
Vill du bli respekterad av din avbild,
får du visa din avbild respekt!

Vi ska undvika att kontrollera våra barn på ett sådant närgånget sätt, att det kränker deras självkänsla. I stället ska vi erkänna dem, bekräfta dem och visa att vi respekterar deras egenvärde. Annars är det fara värt att de i ett senare skede bemöter oss med samma hållning (eller brist på hållning). I den meningen bör förhållandet präglas av lika värde och ömsesidig respekt.

Förhållandet mellan barn och vuxen präglas samtidigt av olikhet i värde och av asymmetri, eller bristande ömsesidighet, eftersom den vuxne först och främst är den som *har ansvar* för barnet – inte tvärtom. Bristande respekt kan visserligen leda till förtryck, men det betyder inte att respekt nödvändigtvis medför eftergivenhet. Gränssättning är att i en första omgång ta ansvar för barnets aktivitet, så att det i en andra omgång kan ta det ansvaret själv. Att styra in sitt uppförande inom vissa ramar är något som barnet lär sig i samspel med en annan, innan det klarar av det självt. Därför blir alltså frågan inte i vad mån det är den vuxnes eller barnets auktoritet som ska gälla. Frågan blir i stället hur förhållandet mellan deras respektive auktoriteter ska förändras under uppväxtens gång. Den vuxne står modell med sin auktoritet, men denna ska sedan gradvis tonas ner och ersättas av barnets egen auktoritet, allt eftersom tonåren nalkas. Barnet ska bli självständigt, det är målet, men självständigt blir barnet inte av sig självt.

Det finns ett skämt som lyder så här:

En person hade utvecklat sex olika teorier om barn, men själv hade han inga barn. Lite senare i livet fick han emellertid sex barn – men då hade han inte längre några teorier om barn!

148

Mycket av det vi kan läsa i läroböcker eller vetenskapliga undersökningar, om barnens inlärning och utveckling till exempel, handlar om "generella" barn. Där skildras vad vi vanligen kan vänta oss att finna om vi till exempel undersöker barnens längd, vikt eller ordförråd, vilka utvecklingsdrag som barn sannolikt kommer att uppvisa i en viss ålder, eller vad de oftast behärskar i olika faser av uppväxten. Men i verkligheten finns det inga generella barn! Det vore rena rama sensationen om vi påträffade ett barn som på varje steg i utvecklingen uppvisade samtliga genomsnittliga och ålderstypiska egenskaper. Varje barn är unikt. Barn har redan från födelsen skillnader i temperament. Men den mer allmänna kunskapen om barn kan å andra sidan vara till god hjälp för att se det säregna hos det enskilda barnet.

Och det finns heller inga "generella" föräldrar. Det finns inte ens någon anledning till att önska sig sådana, eller att alla föräldrar ska sätta sina gränser efter en och samma måttstock. Föräldrar är också unika, och det är viktigt att var och en kan ta fram det bästa hos sig själv i umgänget med sina barn. Man kan på goda grunder betrakta de enskilda föräldrarna som specialister på sina egna barn. Föräldrarna förstår ofta bättre än andra vad deras barn vill uppnå med det de gör, och de fattar snabbare vad barnen menar med vad de försöker uttrycka.

Därför ska ingen heller bli förskräckt om det i den här boken har introducerats vissa generella pedagogiska termer. Ord ska ses som verktyg för tanken. Som mamma eller pappa kan du klämma lite på några av de allmänna begreppen och se om du med hjälp av dem kan spåra några egenheter hos dig själv som gränssättare. Händer det att du fastnar i *riscirkeln*? Skulle du i så fall kunna försöka pröva på *roscirkeln*? Eller är det något annat i denna bok som har väckt tankar kring vad du gör, vad det betyder för ditt barn och vad ni bägge skulle kunna göra annorlunda?

Något facit får du inte, av det enkla skälet att ingen kan ge dig något sådant. Hur du vill sätta gränser får du själv komma underfund med i mötet med ditt barn och utifrån de erfarenheter ni gör tillsammans. Du kan pröva olika sidor av dig själv, men till syvende och sist måste du lita till din inlevelse och dina värderingar. Försök inte vara någon annan – var dig själv. Det som känns rätt för dig att ge ditt barn är oftast det bästa du kan ge. Glöm inte att i ögonen på dina egna barn är du världens bästa pappa eller mamma!

Litteratur

Erikson, Erik H.: *Barnet och samhället*, svensk översättning James Rössel (Stockholm: Natur och Kultur, 1993).

Grandelius, Bengt: *Att sätta gränser: ett villkor för växande*, 3:e uppl. (Stockholm: Natur och Kultur, 1999).

Hundeide, Karsten: *Vägledande samspel*, svensk översättning Cecilia Wändell (Stockholm: Rädda barnen: ICDP Sweden, 2001).

Juul, Jesper: *Ditt kompetenta barn: på väg mot nya värderingar för familjen*, svensk översättning Cecilia Wändell (Stockholm: Wahlström & Widstrand, 1997).

Jørgensen, Margot och Schreiner, Peter: *Fighterrelationen: barns kamp med vuxna*, svensk översättning Birgitta Dalgren (Johanneshov: Hammarström & Åberg, 1991).

Kennedy, Michelle: *Sömn/Överlevnadshandbok för småbarnsföräldrar;*
– Tårar/Överlevnadshandbok för småbarnsföräldrar;
– Vredesutbrott/Överlevnadshandbok för småbarnsföräldrar;
– Mat/Överlevnadshandbok för småbarnsföräldrar, svensk översättning Alexandra Lidén (Stockholm: Forum, 2004).

Køltzow, Liv: *Historien om Eli*, svensk översättning Inga-Britt Hansson (Göteborg: Stegeland, 1977).

Rubinstein, Mark: *Ditt barn: den känslomässiga utvecklingen från födelsen till puberteten*, svensk översättning Hans Du Rietz (Stockholm: Bonnier, 1989).

151

Smith, Mette och Åström, Göran: *Svartsjuk!: en bok om svartsjukans orsaker och uttryck* (Stockholm: Wahlström & Widstrand, 1985).

Wahlgren, Anna: *Nya Barnaboken* (Stockholm: Bonnier Carlsen, 2001).

Register

153